BT
REPORT

국내외 로봇관련 산업분석보고서

2022 개정판

저자 비피기술거래 비피제이기술거래

㈜ 비티타임즈

Contents

01. 서론

1. 서론

[그림 2] 로봇

이미 하루 중 우리가 사용하는 기계만 해도 많은 수에 달할 정도로 로봇은 우리의 삶에 있어 떼어놓을 수 없는 가장 중요한 기술이다. 특히 한국은 반도체·디스플레이·철장·조선 등 제조업 분야의 세계적인 강국이기에 로봇은 더욱 뗄 수 없는 기술이라고 할 수 있다.

국제로봇연맹에 따르면 한국 근로자 1 만 명당 산업용 로봇 대수가 710대(2017년 기준)로, 세계에서 가장 로봇 밀집도가 높은 나라로도 선정되었다. 이는 세계 평균 로봇 밀집도(85대)보다 8배 이상 높은 수준으로, 연간 산업용 로봇 구매 대수도 3만 9,700대로 중국(13만 7,900대) 일본(4만 5,600대)에 이어 3위를 차지했다.

4차 산업혁명이 대두되고, 다양한 기술이 연구되면 될수록 기계의 중요성은 더욱 커지고 있으며 다양한 기계들이 개발되고, 많은 기술을 탑재하고 있다. 본 보고서에서는 이러한 다양한 로봇들의 특징을 알아보고, 최근 동향과 시장전망을 살펴보고자 한다.

02. 로봇산업 개요

2. 로봇산업 개요[1)2)]

가. 로봇 개요

로봇(robot)이란 말은 1922년 발표된 체코슬로바키아의 극작가 카렐 차펙 (Karel Capek)이 쓴 희곡 <로섬의 유니버설 로봇(Rossum's Universal Robot)>에서 나온 체코슬로바키아어로서, 강제 노역을 의미하는‘로보타(robota)’에서 유래되었다.

로봇의 원어는“일을 하는 기구”란 뜻으로 웹스터 사전에는 로봇을 인간과 비슷한 일을 하는 장치라고 명시하고 있다. 즉 로봇은 프로그램된 다양한 움직임에 따라 여러 가지 일들을 수행하는 조작기라는 것이다.

로봇이란 인간과 같이 운동 기능과 지능을 종합적으로 갖춘 범용의 기계라고 할 수 있다. 공학적으로 말하면 로봇은 작업을 하는 손, 환경을 이해하는 시각이나 촉각, 작업순서를 스스로 계획하여 실행하는 기능, 인간과의 대화수단을 갖추고 자유롭게 동작할 수 있는 범용의, 그러면서도 하나의 기체로 종합된 기계 시스템으로 다양한 과업 수행을 위해 프로그래밍 될 수 있는 기계이다.

로봇에 대한 정확한 정의는 없지만 일반적으로“인격을 갖고 있지 않은 기계로서 사람에 의해 프로그램 된 후에 명령에 따라 스스로 동작하는 기계”라고 말할 수 있을 것이다.

1) 자동차 생산기술과 로봇 자동화
2) 로봇 구조 일반, 고등학교 교과서

나. 로봇의 분류

로봇의 일반적인 분류는 용도별로 크게 산업용과 비산업용으로 나눌 수 있으며, 다시 산업용 중에서 제조업 부문과 비제조업 부문으로 다시 구분할 수 있다. 일반적인 산업용 로봇은 자동차, 전기·전자 등 제조업 부문에 이용되며, 다시 비제조업 부문인 농업, 임업 등 1차 산업과 건설업 등에 포함된다.

그리고 산업용 로봇이 비제조업 부문에 이용될 경우, 이를 서비스 로봇의 범주에 포함시킬 수 있다. 따라서 서비스 로봇은 비제조업 부문에 이용되는 서비스 부문은 물론 가사, 노인과 장애인 등을 위한 여타 부문들을 포함한다.

산업용 로봇은 동작기구와 응용 분야 등으로 분류할 수 있는데, 동작기구에 따라 직각좌표 로봇, 원통좌표 로봇, 극좌표 로봇, 스카라 로봇, 관절 로봇 등이 있으며, 응용분야에 의한 분류로는 용접, 조립, 도장, 검사, 이송, 기계공작 등에 이용되는 로봇으로 나눌 수 있다.

<table>
<tr><th colspan="2">구분</th><th>부문</th><th colspan="2">기계구조별·용도별</th></tr>
<tr><td rowspan="2">산업용
로봇</td><td rowspan="2">제조업</td><td rowspan="2">자동차,
전기·전자 등</td><td>기계
구조</td><td>직각좌표 로봇, 원통좌표 로봇, 극좌표 로봇, 스카라 로봇, 관절 로봇, 병렬 로봇 등</td></tr>
<tr><td>용도</td><td>용접, 조립, 도장, 검사, 이송, 기계공작 등</td></tr>
<tr><td rowspan="2">서비스
로봇</td><td>비제조업</td><td>1차 산업, 건설업,
교통통신, 보안,
군사, 의료,
도소매업 등</td><td colspan="2" rowspan="2"></td></tr>
<tr><td>비산업용</td><td>가사, 노인 및
장애인을
복지부문,
유아용 완구 등</td></tr>
</table>

[표 1] 로봇 산업의 분류

1) 산업용 로봇의 분류

가) 기구 형태에 따른 로봇의 분류

명칭	정의
직교 좌표형 로봇	동작 기구가 직교 좌표(Cartesian Coordinate)를 따라 움직이는 로봇. PPP형 로봇이라고도 함.
원통 좌표형 로봇	동작 기구가 원통 좌표(Cylinderical Coordinate)를 따라 움직이는 로봇. PRP형 로봇이라고도 함.
극 좌표형 로봇	동작 기구가 극 좌표(Polar/Spherical Coordinate)를 따라 움직이는 로봇. RRP형 로봇이라고도 함.
다관절형 로봇	동작 기구가 여러 개의 관절로 구성되어 있는 로봇. RRR형 로봇이라고도 함.

[표 2] 기구 형태에 따른 로봇의 분류

(1) 직교좌표 로봇

일명 XY 로봇이라고도 불리는 직교좌표 로봇(Cartesian Coordinate Robot)은 직선 운동을 수행하는 축으로만 구성되어 있는 로봇이다. 일반적으로 X, Y, Z의 3축으로 구성되며, 경우에 따라서는 1개 또는 2개의 축만을 사용하기도 한다. 또, 잡은 물체의 방향을 바꿀 수 있도록 하기 위하여, 로봇의 선단에 회전축을 붙여 4축으로 구성한 것도 있다.

직교좌표 로봇은 기계적으로 튼튼하고 안정적이며 위치 정밀도가 우수하다. 또한, 인간에게 가장 익숙한 직교좌표계를 사용함으로써 이용자가 쉽게 사용할 수 있다는 장점을 가지고 있다. 그러나 동작 영역에 비하여 설치 면적이 큰 것이 단점이다.

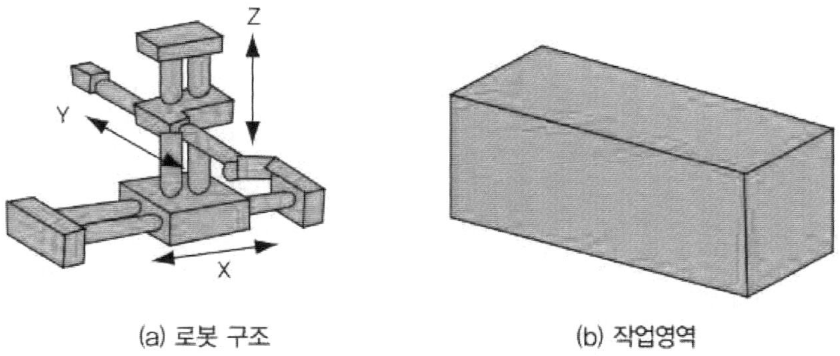

[그림 4] 직교좌표 로봇

(2) 원통 좌표 로봇

원통 좌표 로봇(Cylindrical Coordinate Robot)은, 원통의 길이와 반지름 방향으로 움직이는 2개의 직선축과 원주 방향으로 움직이는 하나의 회전축으로 구성된 로봇이다. 원통 좌표 로봇은 작업 영역이 넓고, 설치 면적도 적으며, 위치 정밀도도 우수하다. 그러나 로봇의 엔드 이펙터(End Effector)에 과중한 하중이 걸리는 작업이나 일감의 중량이 크면, 위치 정밀도가 떨어지는 단점을 가지고 있다.

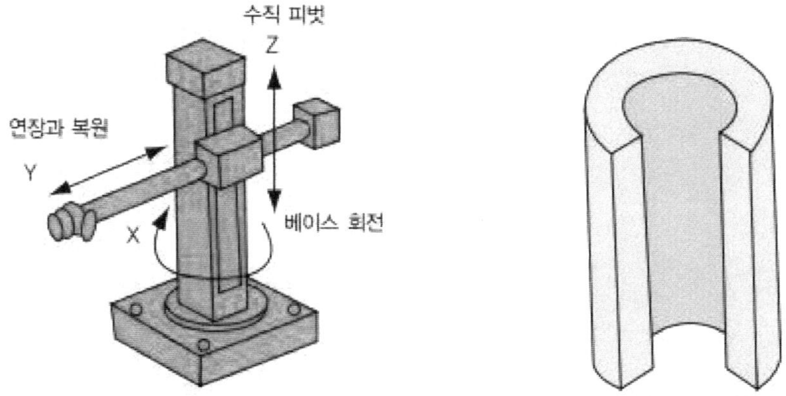

(a) 구 조 (b) 작업영역

[그림 5] 원통 좌표 로봇

(3) 극좌표 로봇

극좌표 로봇(Polar Coordinate Robot)은 1개의 직선축과 2개의 회전축을 조합하여 구성한 로봇이다. 극좌표 로봇은 수직면에 대하여 상하 운동 특성이 우수하여 작업 영역이 넓고 경사진 위치에서 작업을 수행할 수 있으므로, 용접 작업이나 도장 작업에 적합하다.

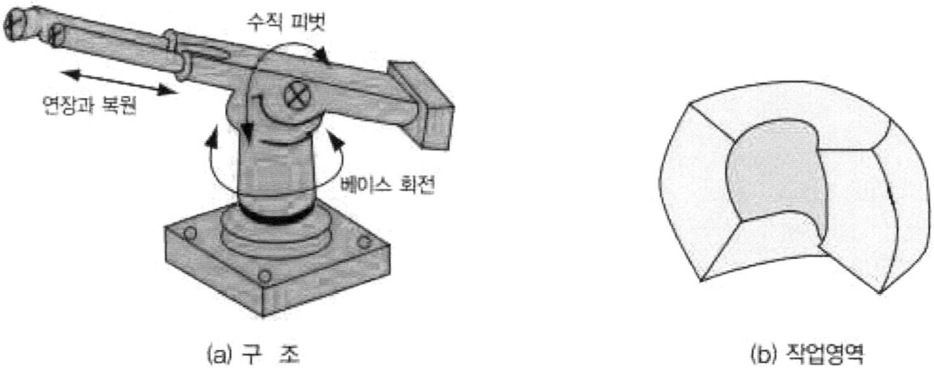

(a) 구 조 (b) 작업영역

[그림 6] 극좌표 로봇

(4) 수평 다관절 로봇

스카라 로봇(Selective Compliance Assembly Robot Arm, SCARA)이라고도 불리는 수평 다관절 로봇(Horizontal Articulated Robot)은, 3개의 회전축과 하나의 직선축으로 구성된 다관절 구조의 로봇이다.

1, 2축은 수평 회전 운동을 하고, 3축은 수직 상하 운동을 하며, 4축은 다시 회전운동을 수행한다. 스카라 로봇은 수평면상의 운동 특성을 가지고 있으므로, 조립 작업 또는 팔레타이징(Palletizing) 작업에 적합하다.

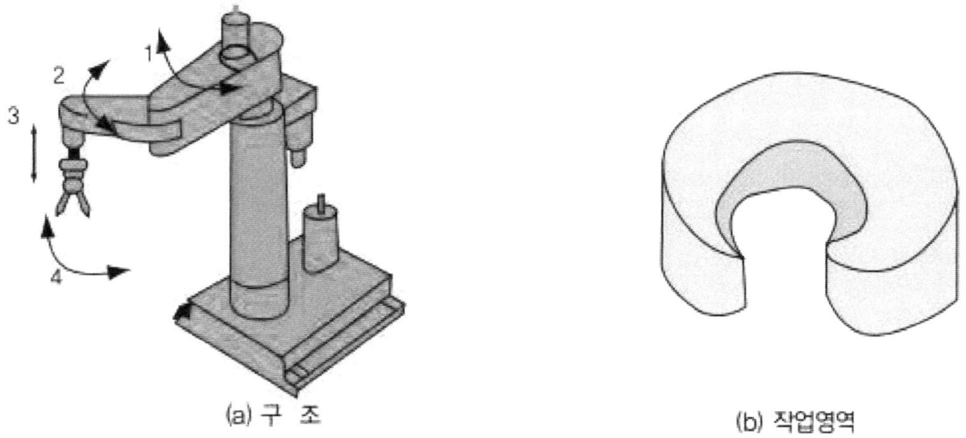

[그림 7] 수평 다관절 로봇

(5) 수직 다관절 로봇

용접 및 도장 작업 등에 가장 많이 사용되고 있는 수직 다관절 로봇(Vertical Articulated Robot)은, 관절의 구동이 모두 회전축에 의하여 수행되는 구조를 가지는 로봇이다.

일반적으로, 6개의 회전 관절을 가지고 있으며 작업 공간 내에 위치하는 임의의 작업 지점에 임의의 방향으로 접근이 가능하다. 회전 관절만으로 구성되어 있어 제어와 사용이 어렵지만, 속도가 빠르고 공간 활용 능력이 우수하며, 설치 면적과 본체의 체적이 작다는 장점을 가지고 있다.

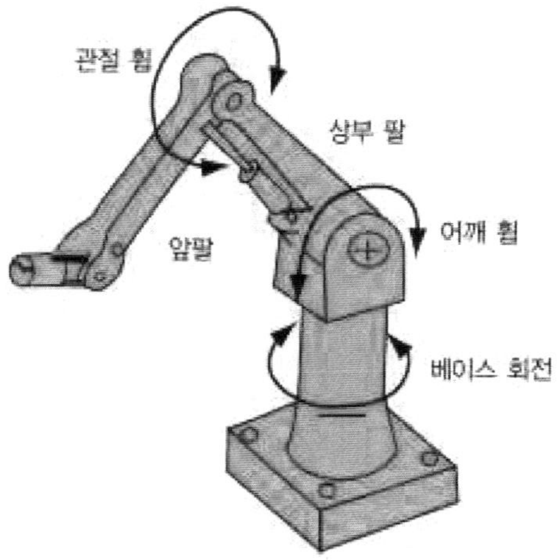

(a) 구 조

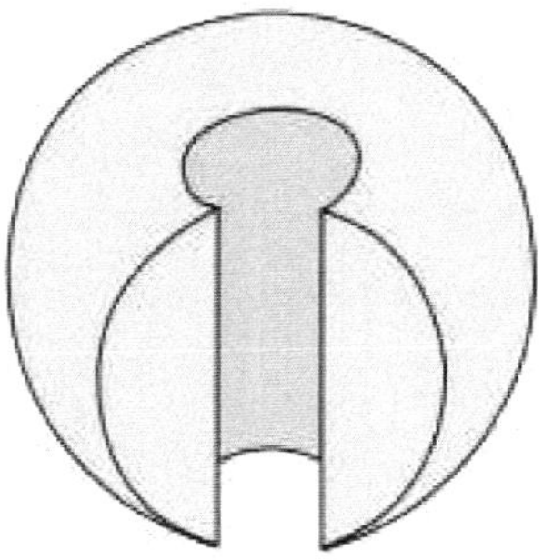

(b) 작업영역

[그림 8] 수직 다관절 로봇

(6) 이동 로봇

이동 로봇은 매니퓰레이터와 다르게 바퀴 또는 그 밖의 구동 장치에 의하여 이동할 수 있는 기능을 가진 로봇을 총칭하는 용어이다. 산업 현장에서 사용되고 있는 대표적인 이동 로봇은 물품을 적재하고, 지정된 경로를 따라서 이동하는 자율 주행 차량과 반도체 생산에서 사용되는 매니퓰레이터를 탑재한 이동 로봇이다.

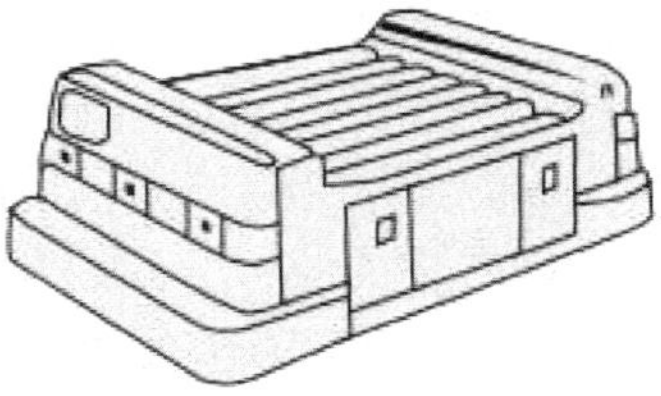

(a) 무인 반송차

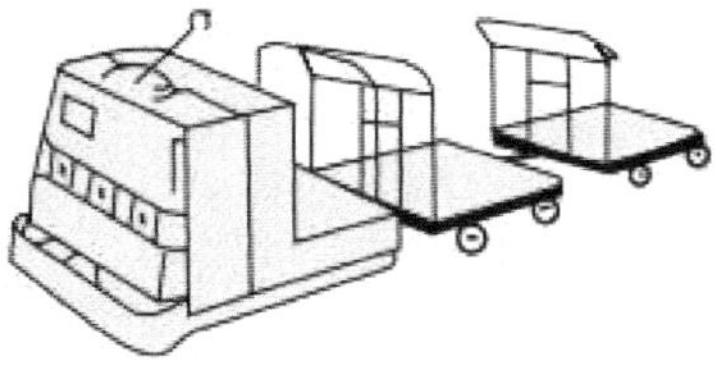

(b) 무인 견인차

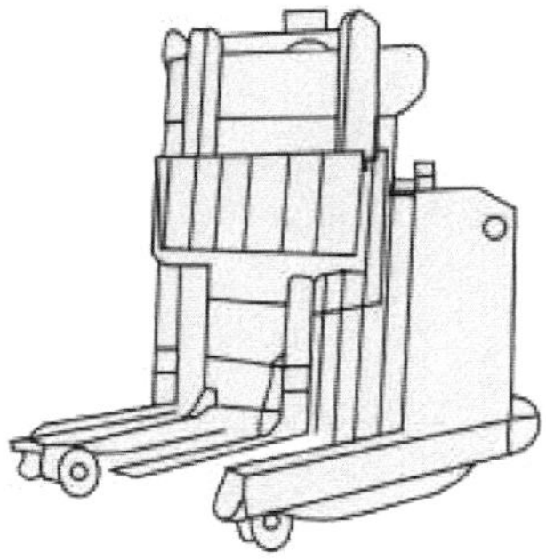

(c) 무인 포크 리프트

[그림 9] 자율 주행 차량의 종류

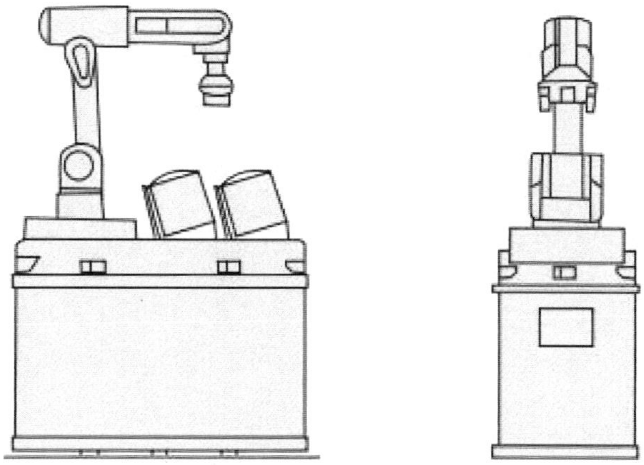

[그림 10] 매니퓰레이터 탑재형 이동 로봇

나) 제어 방법에 따른 로봇의 분류

항목	명칭	정의
서보 유무	비서보형 로봇	서보 제어(Servo Control)를 사용하지 않는 로봇
	서보형 로봇	정밀 제어를 위하여 위치, 속도, 힘 등 서보 제어를 사용하는 로봇
경로 형태	위치결정 제어형 로봇	경로상의 작업점을 따라 움직이는 로봇 PTP(Point To Point) 제어형 로봇이라고도 함
	경로 제어 결정형 로봇	연속된 경로를 따라 움직이는 로봇 CP(Continuous Path) 제어형 로봇이라고도 함

[표 3] 제어 방법에 따른 로봇의 분류

다) 성능에 따른 일반적인 로봇의 분류

명칭	정의
수동 로봇 (manual robot)	사람의 조작에 의하여 움직이는 로봇
시퀀스 로봇 (Sequence Robot)	순서, 위치, 조건 등 미리 설정된 정보에 따라 동작의 각 단계를 순차적으로 진행하는 로봇
플레이백 로봇 (Playback Robot)	사용자가 순서, 위치, 조건 등 정보를 가르치면 이를 저장한 후 필요시 재생할 수 있는 로봇
수치제어 로봇 (numerically controlled robot)	작업 순서, 위치 및 조건 등의 정보를 수치 또는 언어 등으로 표현하여 지시하면, 그 정보에 따라 작업을 수행하는 로봇
지능 로봇 (intelligent robot)	감각 및 인식 기능에 의하여 작업 수행에서 요구되는 행동을 스스로가 결정할 수 있는 기능을 가진 로봇
감각 제어 로봇 (sensory controlled robot)	감지기에 의한 감각 정보를 사용하여 스스로 동작을 제어하는 기능을 가진 로봇
적응 제어 로봇 (Adaptive Control Robot)	작업 환경의 변화에 적응하여 스스로 제어 기능을 변화시키는 능력을 가진 로봇
학습 제어 로봇 (Learning Control Robot)	작업 경험을 학습에 반영하여 이를 바탕으로 적절한 제어 기능을 발휘하는 로봇

[표 4] 성능에 따른 일반적인 로봇의 분류

다. 산업용 로봇의 구성 요소

산업용 로봇의 기계 장치는 그리퍼에 잡힌 물체 또는 실질적 작업을 위한 엔드 이펙터를 3차원 공간에서 이동시키기 위한 로봇의 기구적인 부분이다. 산업용 로봇의 기계 장치는 어떠한 형태의 로봇에서나 구조적으로 몸통, 팔, 손목, 그리고 손으로 구분되어질 수 있다.

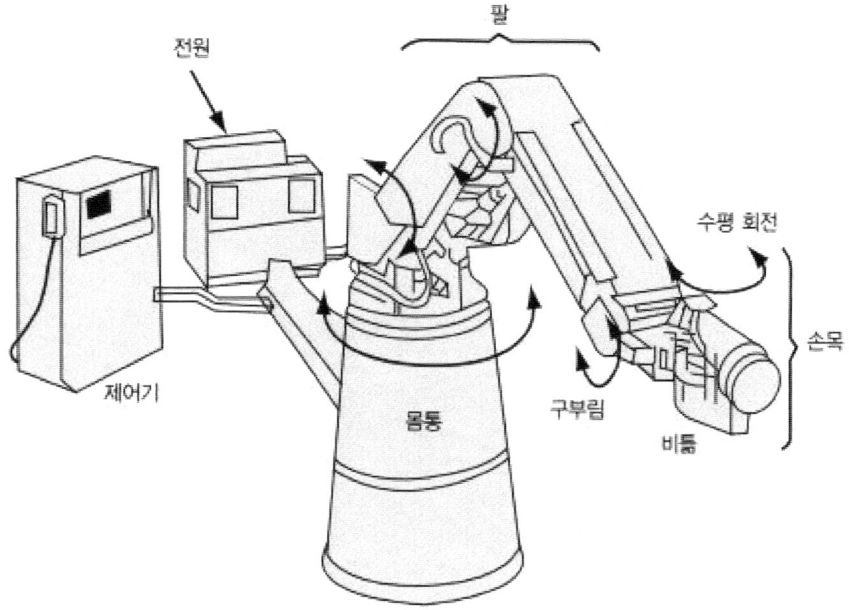

[그림 11] 산업용 로봇 기계 장치의 기본 구조

3차원 공간에 있는 임의의 물체의 위치(Position) 및 자세(Orientation)를 결정하기 위해서는 위치에 3개, 자세에 3개, 합계 6개의 독립된 변수가 필요하다. 따라서, 물체를 3차원 공간에서 이동시켜 요구되는 위치 및 자세를 결정하기 위하여 로봇에는 6개의 변수값을 자유로이 변경시킬 수 있는 자유도, 즉 6자유도가 필요하다.

특수한 경우, 수평 다관절 로봇과 같이 6자유도 미만의 자유도를 가지는 로봇이 사용되고 있다. 그러나 이들 로봇은 3차원 공간에 있는 임의의 위치에 임의의 자세로 도달할 수 없으며, 따라서 한정된 범위의 작업만을 수행할 수 있는 로봇이다.

예를 들어, 수평 다관절 로봇은 4자유도를 가지고 있고, 수평면 내에서의 운동만이 가능한 로봇이다. 그러므로 수평 다관절 로봇은 수평면 내에서의 운동만을 사용하여 작업이 완수될 수 있는 형태의 작업에만 활용될 수 있다.

로봇의 자유도를 결정하는 것은 관절(Joint)이다. 로봇 기구의 기본은 2개의 강체, 즉 링크(Link)를 1개의 관절을 사용하여 직렬로 결합한 것으로, 정지 링크에 해당되는 몸통이 고정되어 있고, 마지막 링크에 작업용 도구 또는 손을 결합한 것이다. 6자유도 로봇 기구의 기본은 정지 링크(몸통)로부터 팔에 해당되는 처음 3개의 관절은 위치를 결정하기 위하여 사용되고, 손목에 해당되는 나머지 3개의 관절은 로봇의 자세를 결정하기 위하여 사용된다.

로봇의 관절은, 직선 운동을 하는 직동 관절(Prismatic Joint)과 축방향을 중심으로 회전 운동을 하는 회전 관절(Rotational Joint)이 있다.

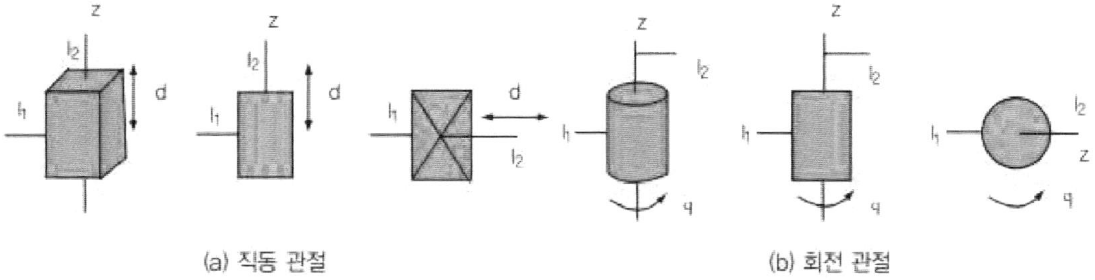

[그림 12] 관절의 종류

1) 몸체

몸체(Body)는 팔을 원하는 위치로 이동시키는 어깨를 포함하며, 매니퓰레이터를 지지하는 역할을 한다. 몸체는 움직임의 여부에 따라 구분될 수 있는데, 몸체가 고정된 로봇을 고정형 로봇(Manipulating Robot)이라 하고, 움직일 수 있는 로봇을 이동형 로봇(Locomoting Robot)이라고 한다.

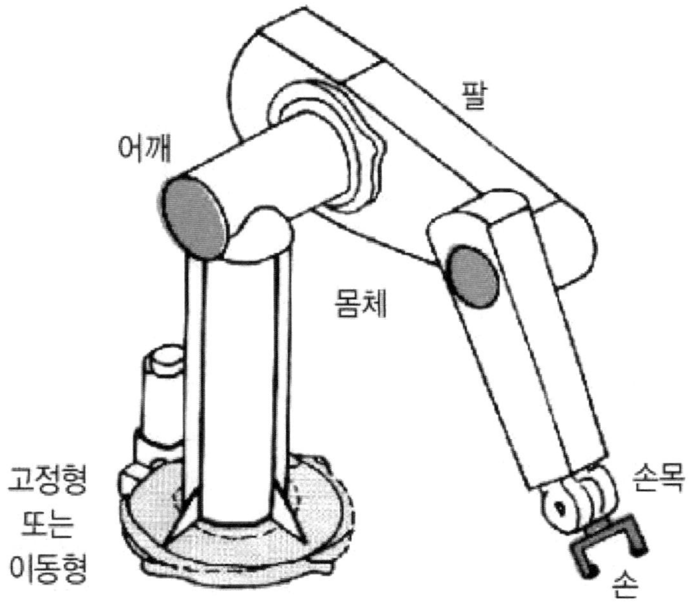

[그림 13] 산업용 로봇의 기존 구조

이동형 로봇의 움직임은 다음과 같이 구분할 수 있다.

① 직선 운동(Prismatic Motion) : 몸체가 한 방향 또는 여러 방향으로 직선 이동
② 회전 운동(Revolute Motion) : 몸체가 한 축을 중심으로 회전
③ 혼합 운동(Prismatic/Revolute Motion) : 직선 운동+회전 운동
④ 자유 이동(Mobile) : 바퀴, 무한궤도장치(Caterpillar) 등의 장치가 부착되어 있어 자유자재로 움직임

2) 팔

팔(Arm)은 손목(Wrist)과 손(Hand)을 원하는 위치로 보내는 역할을 한다. 팔은 상박(Upper Arm), 하박(Lower Arm) 및 팔꿈치(Elbow)로 구성되는데, 팔의 형상과 움직임에 따라 다음과 같이 구분할 수 있다. 단, 영문자 P는 직선 운동(Prismatic), R은 회전운동(Revolute)을 나타낸다.

① 직각형(Rectangular)
- 팔이 몸체와 어깨의 궤도를 따라 직선 운동만 한다.
- 3관절의 경우 3개의 직선 운동 : P-P-P

② 원통형(Cylindrical)
- 팔이 전후로 움직이며, 몸체를 축으로 회전 및 직선 운동을 한다.
- 3관절의 경우 2개의 직선 운동과 1개의 회전 운동 : P-R-P

③ 구형(Spherical)
- 팔이 전후로 움직이며, 몸체를 축으로 상하, 좌우의 회전 운동을 한다.
- 3관절의 경우 1개의 직선 운동과 2개의 회전 운동 : R-R-P

④ 다관절형(Articulated)
- 여러 개의 관절을 이용하여 상하, 좌우로 직선 및 회전 운동을 복합적으로 한다.

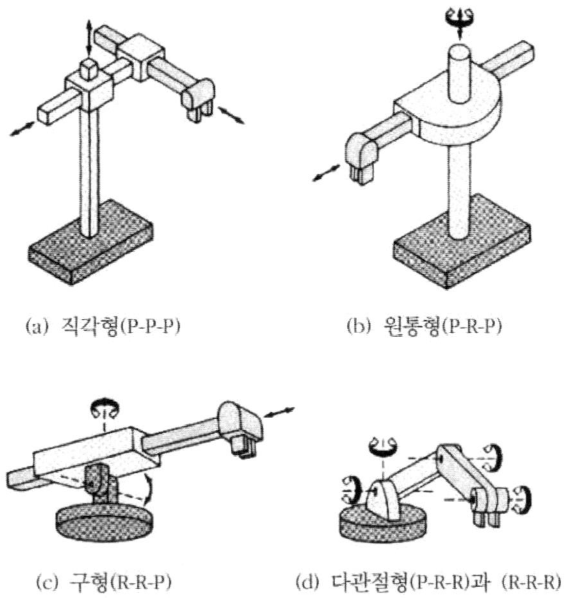
(a) 직각형(P-P-P) (b) 원통형(P-R-P)
(c) 구형(R-R-P) (d) 다관절형(P-R-R)과 (R-R-R)

[그림 14] 산업용 로봇팔의 구분

3) 손목

손목(Wrist)은 손을 원하는 위치 또는 방향으로 이동시키는 역할을 한다. 손목은 보통롤(Roll), 피치(Pitch), 요(Yaw)라고 하는 세 가지 운동(RPY)을 하는데, 손목의 형상과 움직임에 따라 다음과 같이 구분할 수 있다.

① 직선형(Prismatic)
3개의 직각형 관절로 전후, 좌우, 상하 등 직선으로 움직이며, 이들 운동의 조합에 의해 롤 운동을 한다.

② 회전형(Revolute)
3개의 회전형 관절로 RPY 운동을 한다.

③ 혼합형 운동(Prismatic/Revolute)
2개의 직각형 관절과 1개의 회전형 관절로 이루어지는데, 직각형 관절이 피치 및 요 운동을 담당하고, 회전형 관절이 롤 운동을 담당한다.

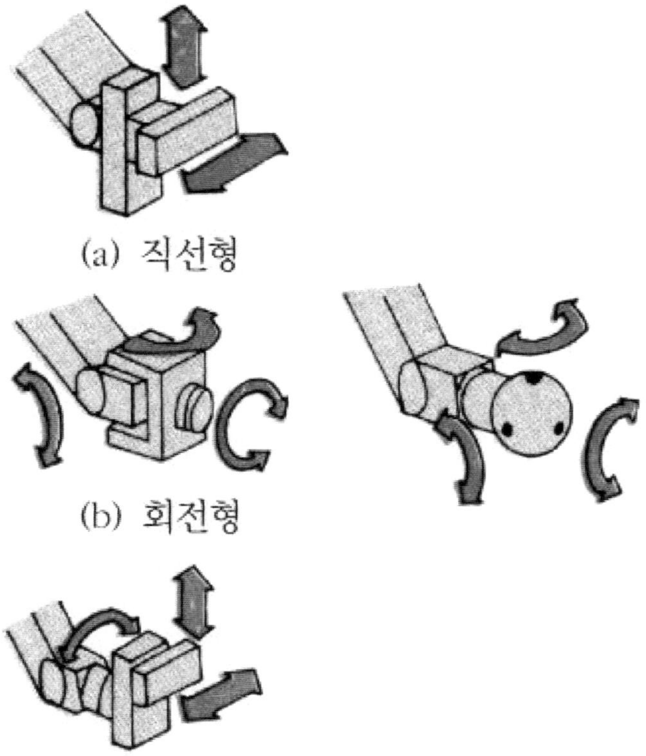

[그림 15] 손목의 구조에 따른 구분

4) 손

손(Hand)은 작업 대상물을 잡거나 주어진 작업을 실제로 수행하는 역할을 한다. 손은 기능에 따라 그리퍼(Gripper), 엔드이펙터(End-Effector)로 구분하기도 한다. 그리퍼는 손가락 또는 손 전체로 물건을 잡는 일을 할 경우에 사용되는 집게 모양의 로봇손을 말하고, 엔드이펙터는 그리퍼를 포함한 각종 공구를 로봇손의 위치에 부착하여 손 대신 사용하는 경우에 일컫는다.

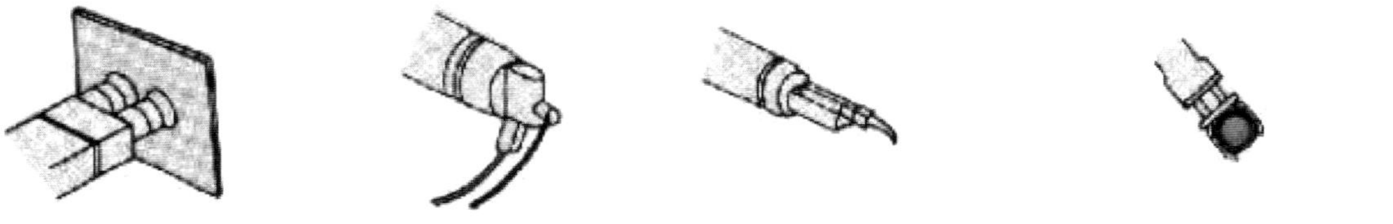

(a) 진공 흡착 (b) 도장(Painting) (c) 용접 (d) 손가락 안으로 쥠

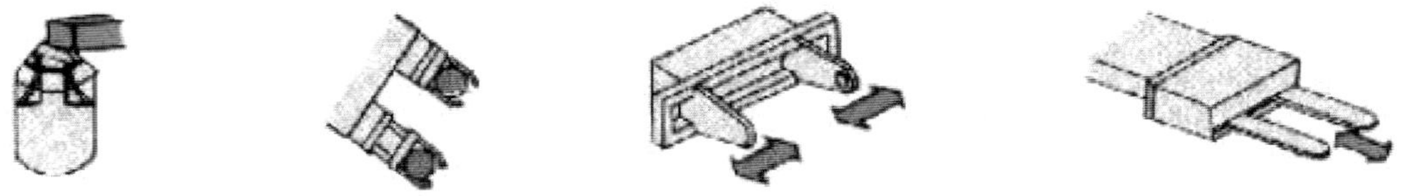

(e) 손가락 바깥으로 쥠 (f) 두 쌍의 손가락으로 쥠 (g) 독립적으로 움직이는 손가락 (h) 포크리프트(Fork-Lift)

[그림 16] 로봇손의 여러 가지 형태

03. 제조용 로봇

3. 제조용 로봇

가. 제조용 로봇 개요

제조용 로봇은 고정 또는 움직이는 것으로서 산업자동화 분야에 사용되며 자동 제어가 가능하고 재프로그램이 가능한 다목적 3축 이상의 다축을 가진 자동조정 장치로 정의할 수 있다.(International Federation of Robotics, IFR)

세계적으로 제조로봇의 적용 분야는 자동차 및 전기전자 분야가 70%~95%를 차지하고 있다. 제조용 로봇은 크게 조립용 로봇과 가공용 로봇으로 구분되고, 사용용도에 따라 이적재용 로봇, 부품 핸들링 로봇, 공작물 착탈용 로봇, 용접용 로봇, 표면처리용 로봇, 조립ㆍ분해용 로봇, 가공용 로봇, 공정용 로봇, 시험ㆍ검사용 로봇 등으로 구분된다.

	주요품목	주요제품 및 기술
제조용 로봇	**매니퓰레이터 로봇**	엔드이펙터ㆍ그리퍼, 로봇 핸드, 감속기, 엑츄에이터ㆍ모터, 관절, 다축 로봇팔, 직교좌표 로봇
	가공용 로봇	연마용 로봇, 디버링 로봇, 절단용 로봇, 기타 가공용 로봇 ,도장용 로봇, 코팅용 로봇, 샌드 블라스팅 로봇, 세정용 로봇, 기타 표면 처리용 로봇 등
	조립용 로봇	부품조립용 로봇, 부품분해용 로봇, 접착 및 씰링재 도포용 로봇, 납땜용 로봇, SMD, 기타 조립분해용 로봇 등
	이적재용 로봇	파렛타이징 로봇, 자동차 내외장부품 핸들링 로봇, 전기ㆍ전자부품 핸들링 로봇, 웨이퍼 카셋트 이송용 로봇, 웨이퍼 핸들링 로봇, 글라스 이송용로봇, 식품 이송용 로봇, 기타 이적재용 로봇 등
	공작물 착탈용 로봇	절삭기계용 공작물 착탈 로봇, 주물, 단조, 열처리 제품 핸들링 로봇, 프레스 제품 핸들링 로봇, 플라스틱 사출품 취출로봇, 기타 공작물 착탈용 로봇 등
	용접 로봇	아크 용접용 로봇, 스포트 용접용 로봇, 레이저 용접용 로봇, 기타 용접용 로봇 등

[표 5] 제조용 로봇 주요 품목

글로벌 금융위기 이후 세계 제조업에 변화의 바람이 불었다. 동남아 시장의 인건비 상승으로 인해 생산비가 증가했고, 공정 자동화에 따라 인력이 감축되는 등 여러 이유로 인해 범용제품 대량생산을 위한 기존 대형 제조 기업들이 본국으로 회귀하는 리쇼어링[3] 현상이 발생했다.

또한, 빠른 제품수명주기와 제품 출시시기, 높은 소비자 기대수준에 부합하기 위해 제품의 기획, 설계, 생산, 유통, 판매 등 전 과정이 IT기술로 통합되었으며, 최소비용과 시간으로 고객맞춤형 제품 생산을 위해 자동화 및 다품종 생산이 가능한 고객 맞춤형 유연생산체계의 필요성이 대두되었다.

따라서 제조업의 위상강화, 노동 고도화를 통한 양질의 일자리 창출, 고임금 체계 개선, 고령화 사회 대응, 고부가가치 생산을 통한 기업 및 국가 경쟁력 확보, 고급인재 확보 등을 위해 제조업의 혁신적 기술도입이 필요하다.

로봇은 IT, BT, NT 등과 융합되어 미래생활을 획기적으로 변화시킬 파급효과가 높은 산업으로, 기계, 금속, 반도체, 전기ㆍ전자, 컴퓨팅 SW, 센서, 통신ㆍ네트워크 등 다양한 기술을 포함하고 있다.

제조용 로봇은 자동차, 조선 등 대량생산 산업에서 대부분 반복 작업 등에 적용되고 있으며, 현재 중소기업의 다품종 소량 생산 방식에 적합한 로봇수요를 반영한 연구개발이 진행 중이다.

산업형태가 대량생산 시스템에서 다품종 소량생산으로 패러다임이 변화하면서 작업환경이 셀-생산[4]방식으로 전환되고 있으나, 현재의 제조용 로봇은 셀-생산 적용에 한계가 있는 것이 사실이다. 현재의 제조용 로봇은 구조적인 문제로 정교한 작업에 한계를 가지고 있고, 단순 반복 작업을 위해 개발되었기 때문에 복잡하고 환경변화가 발생하는 작업현장에 적용하기 어려운 상황이다.

---

3) 리쇼어링(reshoring) : 국외로 생산기지를 옮긴 자국기업이 다시 국내로 들어오는 현상
4) 셀-생산방식 : 소수의 직원이 처음부터 끝까지 여러 가지의 공정을 담당해 완제품을 생산하는 방식

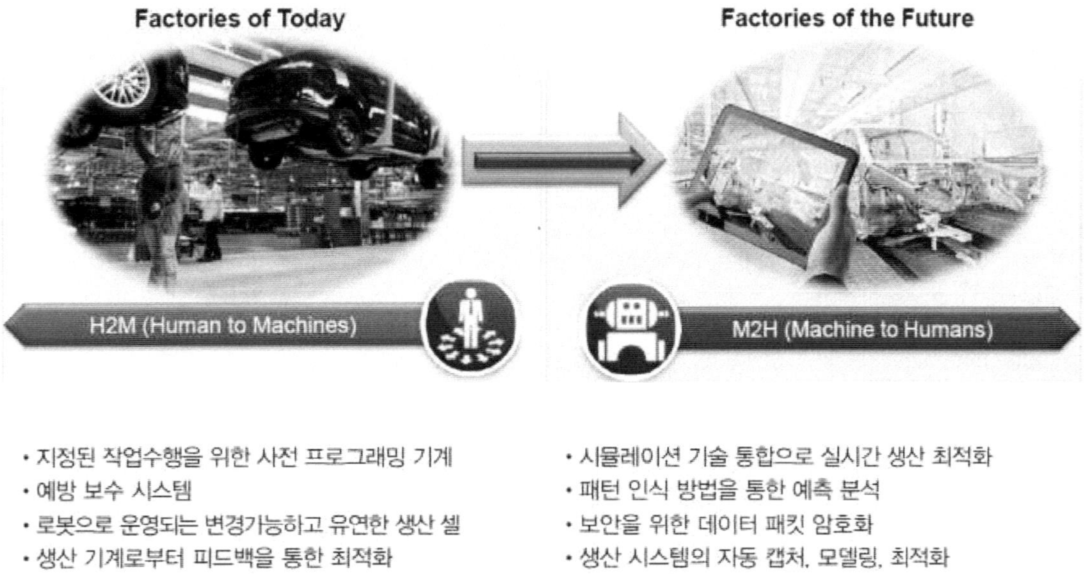

[그림 18] 자동차 제조의 미래

제조용 로봇 분야의 전방산업은 자동차, 조선 등 대형제조업, 컴퓨터, 스마트폰 소형제조업, 반도체 등 정밀제조업, 제약·바이오산업 등 제조업이 대부분이며, 제조용 로봇의 후방 산업은 전자부품업, 기계부품업, 금형사출업, 물류, 유통, 항만산업, 금속, 로봇 부품, 반도체, 센서 산업 등이 있다.

후방산업	제조용 로봇 분야	전방산업
로봇부품 및 부분 산업, 금속·기계 산업, 전기·전자 제어장치 산업, 반도체·센서 산업, 컴퓨팅SW 산업, 재료·소재 가공산업	협동 로봇, 이적재용 로봇, 가공용 로봇, 조립용 로봇	용접응용 산업, 디스플레이 산업, 식품·의료 산업, 자동차, 조선 등 대형제조 산업, 컴퓨터, 스마트 폰 소형제조 산업, 정밀제조 산업, 의약, 바이오 산업

[표 6] 제조용 로봇 산업구조

최근 산업용 사물인터넷(IIoT)의 증가로 제조용 로봇 가치사슬의 끝단에 있는 시스템 통합 기업과 부품 제조 기업들이 증가될 것으로 예상된다. 국내 제조용 로봇기업은 606개사로 전체 로봇기업 중 32%를 차지하고 있다.

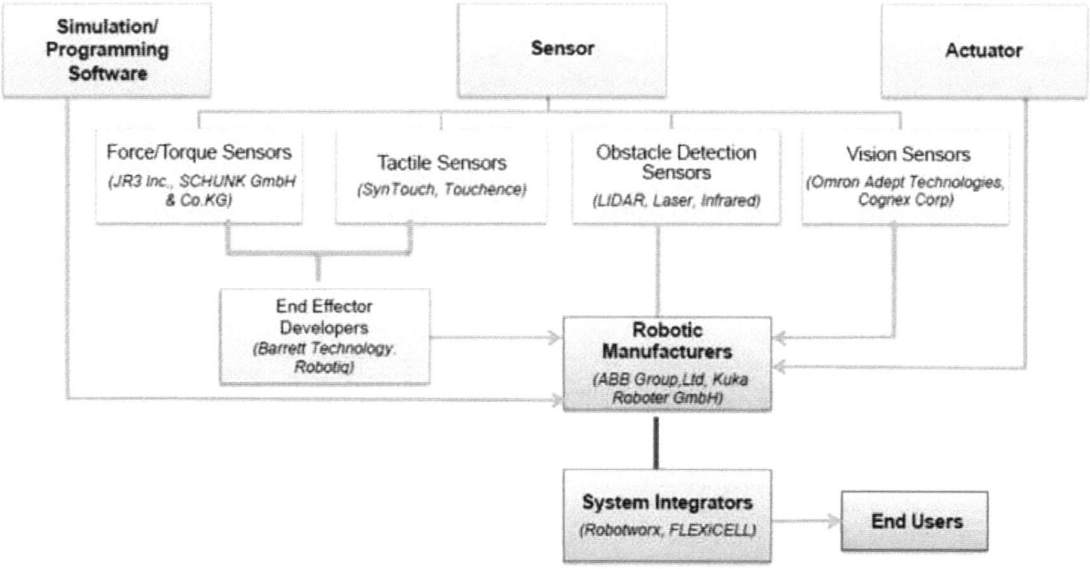

[그림 19] 제조용 로봇의 가치사슬

제조용 로봇 중 최근 가장 많은 관심을 받고 있는 분야는 바로 협동로봇이다. 그렇다면, 도대체 협동로봇은 어떤 것을 가리키는 것일까?

협동로봇은 인간과 로봇이 같은 공간에서 함께 작업하기 위한 협동 운용(Collaborative Operation) 조건을 충족하는 산업용 로봇으로, 사용자의 안전을 고려하기 위해 로봇이 작동하는 동안 로봇의 작업 영역에 인간이 접근하는 것을 다양한 수단을 이용하여 철저히 배제하는 전통적 산업용 로봇과 차이를 보인다.

나. 제조용 로봇 기술 동향 5)6)

제조현장 인력 1만 명당 로봇 보급 대수는 독일과 일본이 각각 301대, 305대이고, 한국은 세계 최고 수준인 531대로 보고되었다. 또한, 로봇산업은 제조업을 중심산업으로 선택한 모든 국가로부터 미래 산업으로 언급되고 있다.

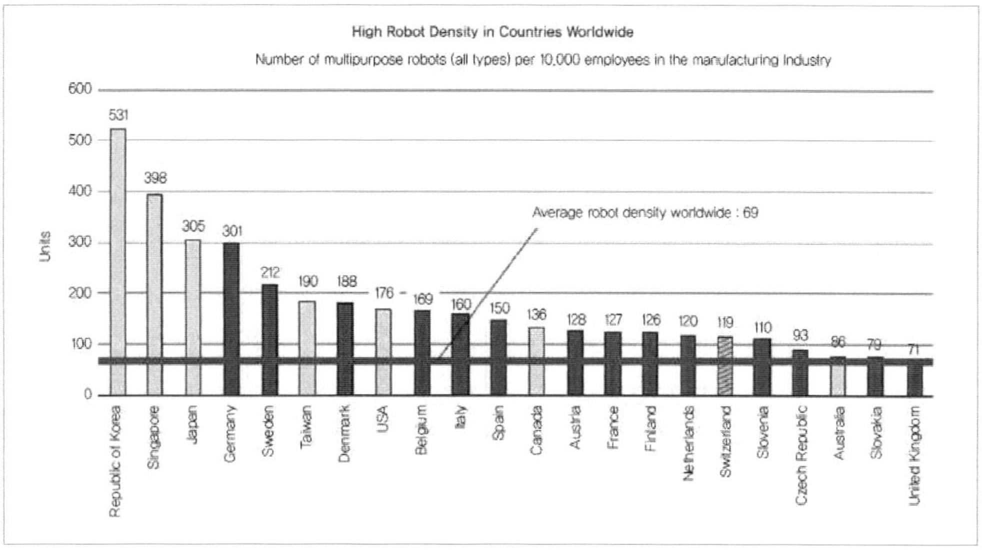

[그림 20] 국가별 제조현장용 고용인구별 로봇보급 현황

국내의 경우 보급된 로봇 구성 형태 중 약 70%가 직교좌표로봇에 기반을 두고 있으며, 다관절 로봇을 생산 보급하는 국내기업은 단 한 개사에 불과하다. 또한 한 곳에서 생산하는 다관절 로봇조차 대부분 국내용과 수출을 포함해도 자사 내 물량에 기반하고 있다는 것이 로봇 선진국의 로봇산업 구성 형태와 차이가 있다.

이러한 국내 상황의 배경에는 국내 산업구조의 특징이 기여한 바가 크다. 직교좌표로봇이나 스카라로봇 등은 초 경량부하인 전기전자 및 반도체 부품산업에 최적화 되어 있고, 다관절로봇은 자동차산업을 중심으로 생산성과 직결되는 용접, 조립, 도장공정이 최대 수요처이다. 그 외 분야로는 공작기계 관련 부분으로 정밀가공, 연마, 디버링 용도에 활용되는데, 국내 제작보다는 대부분 고성능 로봇제품을 도입 운용하는 것이 현실이다.

제조용 로봇과 함께 자주 등장하는 것이 바로 협동로봇이다. 제조용 로봇시스템이건 향후 일반현장에서도 자주 목격하게 될 협동로봇이건 간에 구성방식의 차별성 이외에 동력 및 모션 제어 관점에서는 유사성이 대단히 높다.

---

5) 제조용 로봇 기술 및 시장 동향, S&T Market Report, 2017.03
6) [모션&로봇] 제조 및 협동로봇 시장 동향과 국산화 추진 현황, 헬로티, 2018.11.28

제조용은 앞서 설명한 바와 같이 각 용처별 생산성 향상에 초점을 둔 고속 고정밀 처리에 방점이 있다면, 협동로봇은 제조를 포함한 모든 현장에서 사람과의 공존이 목표이므로 충돌안전이나 직접교시와 같은 부분에 방점을 두고 있다.

[그림 21] 제조 로봇과 협동로봇의 특징 비교와 요소 기술 개발 방향

제조용 로봇의 기술개발은 크게 전자산업시장에서의 활성화, 고기능화 및 다양화, 협동로봇으로의 발전으로 나누어 살펴볼 수 있다.

① 전자산업시장에서의 활성화

최근 로봇시장은 자동차 제조용 시장에서, 반도체 및 디스플레이 등에 적용되는 전자부품용 제조 시장으로 이동하고 있으며, 특히, 자동차 산업에 주로 적용되는 용접, 도장, 판넬 핸들링 로봇 중심에서, 솔라셀, 의료 분야, 전자부품 등 주로 조립 및 부분 핸들링 관련 로봇 기술로 변화하고 있다.

또한, 정형화된 대량 양산 생산 체계에서 기술수명주기가 빠른 전자산업의 다품종 소량 생산체계로의 제조업 변화에 따라 로봇의 구조 및 형태가 달라지고 있다.

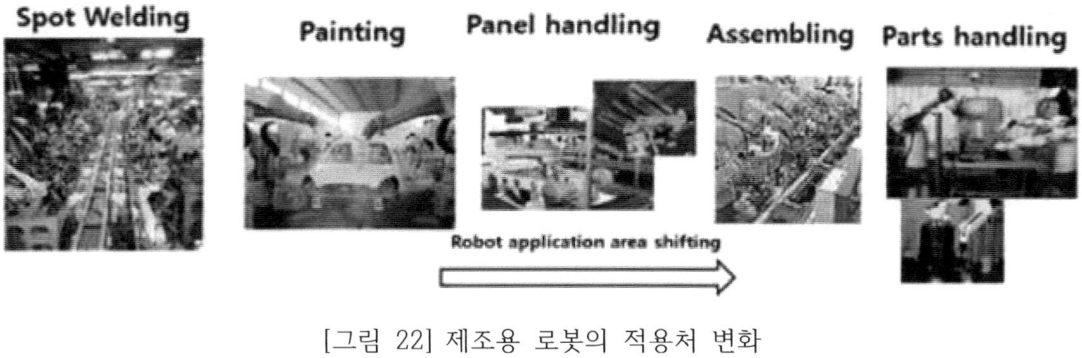

[그림 22] 제조용 로봇의 적용처 변화

② 고기능화 및 다양화

제조용 로봇은 다품종 소량 생산에 적합하도록 조립 및 부분 핸들링에 다양한 기능을 부과하여 생산효율성을 높이도록 진화 중이다. 특히, 로봇의 작업 변화에 대응할 수 있는 센싱 기술, 다양한 환경에 로봇을 쉽게 적용할 수 있도록 해주는 쉬운 티칭 기술, 다양한 말단장치 및 힘센서 개발에 집중하고 있다.

ABB, FANUC 등 제조로봇 기업들은 생산성 향상을 위해 고속운전 및 고기능화를 통해 생산성을 확보할 수 있는 다양한 제품을 출시 중이다.

[그림 23] 제조용 로봇의 지능화

③ 협동로봇으로의 발전

협동로봇이란 산업자동화 분야에 사용되며 자동제어프로그램을 통해 다목적의 3축 또는 그 이상의 축을 가진 제조용 로봇 중에서 인간과 같은 공간에서 작업을 하는 로봇으로, 전자산업의 다양한 소형 IT제품 및 제품 싸이클의 빠른 변화에 따른 다품종 소량생산 수요와 이에 적합한 협동로봇의 수요가 발생하고 있다.

또한, 자동차 공장 등에서 인간과 로봇의 협동작업이 가능하게 됨으로 인하여 기존에 불가능하였거나 아니면 여러 개의 공정으로 나누어서 하던 작업을 인간과 같은 공간 내에서 작업을 하게 됨으로 쉽게 자동화 설계가 가능해졌다.

국제표준화기구인 ISO가 제조용 로봇 안전요건에 관한 표준인 'ISO 10218'을 보완하는 'ISO/TS 15066' 규격을 공식 발표하면서, 기존의 Rethink Robotics와 Universal Robots 외에도 많은 제조용 로봇업체들이 협동로봇을 출시하고 있다.

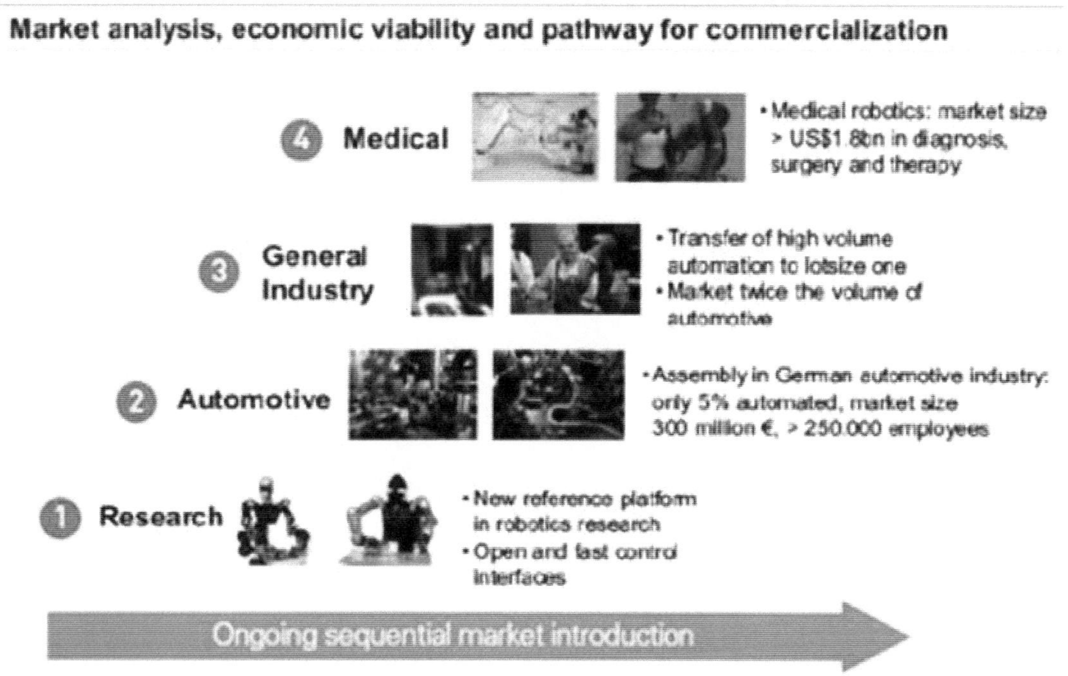

[그림 24] 인간-로봇 협력이 가능한 로봇 기술의 시장 진출 계획

제조용 로봇이 굳건한 성장성을 보이는 이유는 전 세계적으로 4차 산업혁명, 스마트 공장, Industry 4.0과 같은 제조업의 새로운 혁신의 바람이 불고 있기 때문으로 해석된다.

최근 특히 3~4년 사이 인간과 로봇의 공존과 협력 작업을 의미하는 협동 로봇 시장이 새롭게 부각되고 있다. 따라서 본 보고서에서는 제조용 로봇의 기술 동향을 협동 로봇을 중심으로 살펴보도록 하겠다.

1) 미국

8년 연속 최고 기록의 산업규모를 갱신하며 전년대비 22% 증가된 '18년 4만 300대의 제조용 로봇을 설치하여 세계 3위 시장을 확보했다. 또한 미국은 6억 달러 규모의 "첨단제조 파트너쉽(AMP: Advanced Manufacturing Partnership, 2011년)"을 발표하였다. 혁신전략을 구체화하면서, 협동로봇 분야에 지원을 확대하는 중이다. 또한 2017년부터 첨단제조 파트너쉽의 일환으로 "국가로봇계획(NRI: National Robotics Initiative)"과 차세대 로보틱스 기술개발 등의 국가로봇계획 2.0을 실행하고 있다. 그 외에도 다품종 소량생산이 가능한 셀-생산 방식(소수의 직원이 처음부터 끝까지 여러 가지의 공정을 담당해 완제품을 생산하는 방식) 생산설비 구축을 위해 가변 및 재구성을 할 수 있는 방식의 조립라인 개발을 진행 중이다.

7)

[그림 25] 협동로봇

또한, 미국은 '로봇산업 육성정책(National Robotics Initiative)'발표를 통하여, 인간과 로봇의 상호작용을 강조하고 있으며 차세대 로보틱스 기술개발 등을 목표로 기초연구부터 개발, 제조, 확산까지 전 주기를 포함하고 있다.

차세대 로보틱스 연구는 인간의 역량을 확장하거나 강화하면서 인간과 함께 일할 수 있는 협동로봇(Co-Robot)의 개발과 활용에 중점을 두고 있으며 정부 R&D 투자는 지능형 로봇, 감성기술, SLMA 매니플레이터 등 기초로봇기술에 집중하고 있다.

7) 출처: 로봇신문사

2) 일본

일본은 Yaskawa, Nachi, Fanuc, Kawasaki 등 주요 제조업용 로봇기업을 중심으로 기존 제조업 로봇기술 고도화를 추구하면서 셀-생산용 차세대 로봇 생산시스템을 개발 중이다. 일본은 현재 제조로봇 시장의 60% 이상을 차지하고 있으며, 이러한 시장 주도권을 향후에도 계속 이어갈 수 있도록 노력 중이다.

일본은 제조용 로봇의 지능화, 사용편의성, 안전성에 관한 연구에 집중하면서 협동로봇 및 무인화 로봇 공장에 대한 기술개발을 진행 중이며, 최근 로봇기업들은 ICT, AI, 산업자동화 관련 기업과 제휴를 통해 IT화를 급속히 진행하고 있다.

일본은 R&D투자를 센서기술 제어기술, 재료기술 등 기술연구와 휴머노이드를 중심으로 지원하고 있으며, 특히, Honda, Toyota, Fujitsu 등 대기업과 동경대, 와세다대 등 대학에서 폭넓은 연구를 진행 중에 있다.

8)

[그림 26] 휴머노이드 로봇

8) 출처: 테크홀릭

3) 중국

중국은 제조용 로봇 시장과 관련하여 세계 1위의 내수 시장을 보유하고 있으며, 정부주도의 적극적인 지원으로 제조업 혁신과 로봇산업의 전략적 육성을 추진하고 있다. 로봇을 “중국제조 2025”의 10대 핵심 산업 중 하나로 선정했으며, “Smart Manufacturing” 프로젝트 추진을 통해 제조업 핵심기술·부품의 높은 대외 의존도와 낙후된 생산설비 문제, 에너지 효율 저조 문제를 해결하기 위해 기술개발을 진행하고 있다.

중국의 로봇시장은 글로벌 TOP4 ABB(스위스), Fanuc(일본), Yaskawa(일본) KUKA(독일) 기업이 시장의 약 70% 가까이 차지하고 있으며 최근 중국기업인 Midea가 KUKA를 인수하였고, Haier, Gree Siasun, Efort, GSK 등은 자체적으로 로봇개발에 주력하는 등 많은 기업이 로봇산업에 집중하고 있어 향후 중국 로봇 기술이 크게 발전할 것으로 전망된다.

다. 제조용 로봇 시장동향[9)]

1) 해외 동향

2018년 전세계 산업로봇 글로벌 판매 매출은 전년대비 증가하여 약 144억 달러로, 역대 사상 최대 기록을 갱신했고 이 추세대로 글로벌 로봇시장은 2021년에는 세계적으로 약 197억 달러, 2025년대는 약 266억 달러에 이르는 급성장을 이룰 것으로 예측하고 있다. 이러한 성장의 배경에는 4차 산업혁명과 산업 트렌드를 들 수 있는데, 글로벌 생산 체계가 실물 공장을 가상현상과 연결 하는 'Industry 4.0'로 전환, 제조업용 로봇 수요가 급증하고 있으며, 생산시설 현대화·자동화, 에너지 효율화·신소재 활용, 라이프 사이클 단축, 품질개선 노력 등으로 인해 전 세계 로봇 수요가 급증하고 있다.

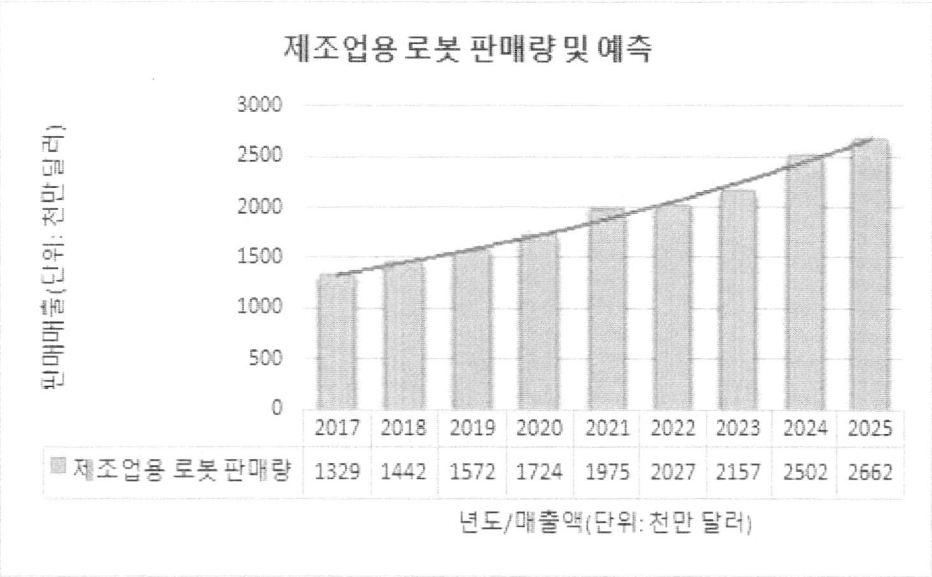

[그림 27] 제조업용 로봇 판매량 및 전망 (판매량 기준-단위: 억 달러)

중국, 한국, 일본, 미국, 독일 5개국은 글로벌 판매량의 74%를 점유했으며, 2013년부터 중국이 세계 최대 시장으로 부상했다.

9) 스마트미디어 부문 협동로봇 도입과 기술 동향, 최재현, IITP, 2019.07.03

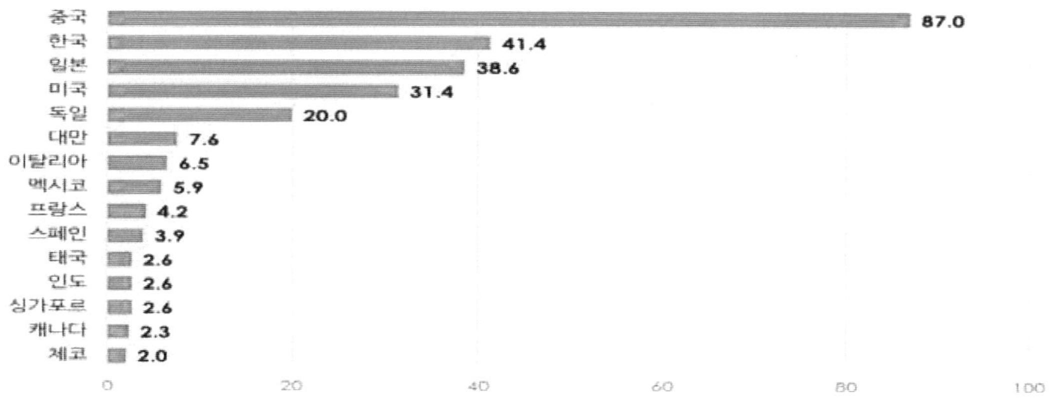

[그림 28] 글로벌 주요 제조업용 로봇시장(판매량 기준)

글로벌 시장 동향을 보면 제조용 로봇은 앞으로도 꾸준한 성장이 예상되고, 최근 협동로봇 또는 협업로봇으로 불리는 로봇은 이제 시장이 형성되는 초기단계에 진입한 것으로 보고되고 있다.

국제로봇연맹(IFR, International Federation of Robot)의 2017년 보고서에 따르면 글로벌 로봇 시장은 완제품 판매액 기준으로 2016년 205억 달러 규모로 전년 대비 2017년 14.5% 성장했고, 이 중에서 제조용 로봇 판매액은 2016년 대비 18% 성장한 131억 달러로 전체 로봇 시장의 64%를 차지하고 있다.

이러한 로봇 판매액에는 별도로 판매되는 로봇 소프트웨어, 로봇 부품, 주변기기, 시스템통합 비용 등이 빠져 있으므로, 이를 모두 포함한 제조용 로봇 산업 규모는 완제품 판매액의 3~4배가 될 것으로 추정된다.

협동로봇은 세계적으로 빠르게 증가하고 있다. 스마트팩토리의 확산과 높은 인건비를 공정자동화로 변경하려는 움직임이 세계 협동로봇 시장에서도 고스란히 적용되고 있다.

협동로봇의 세계시장 규모는 시장조사기관과 조사 시점에 따라 전망치가 다소 차이가 나는데 한국로봇산업진흥원의 조사내용에 따르면, 2016년 1억 7,670만 달러에 이른 세계 시장규모가 2025년까지 연평균 50.31% 성장하여 12억 3,770억 달러에 달할 것으로 전망 되고 있다.

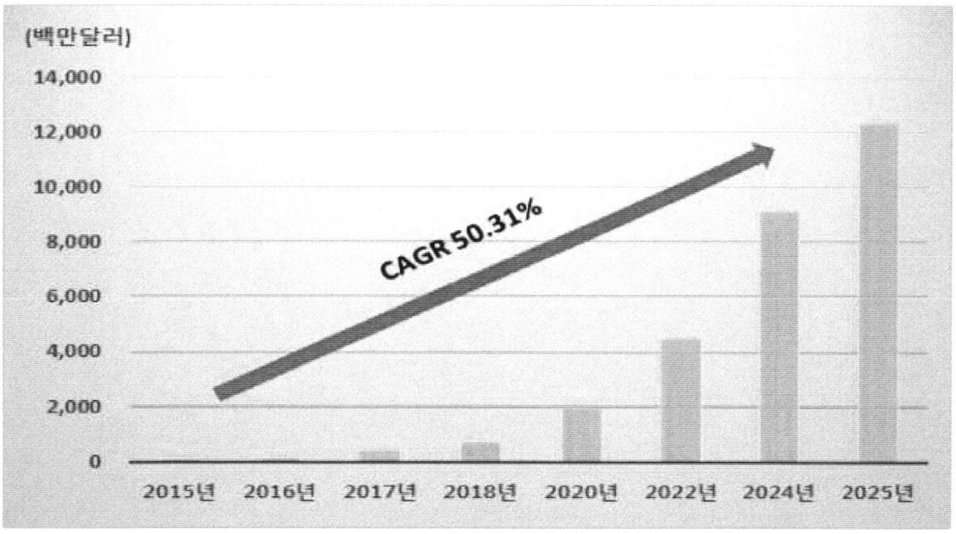

[그림 29] 세계 협동로봇 매출 현황 및 2018~2025년 매출액 전망

Technavio사는 2016년 1.99억 달러였던 매출이, 2022년 약 43억 달러 규모로 성장할 것으로 전망하고 있으며, 성장률도 50%대에서 70%대로 매년 지속적으로 증가할 것으로 전망하고 있다.

Grand View Research사는 2015년 1.12억 달러, 동 사는 2016년 이후 연평균 약 53% 증가할 것으로 전망하고 있다.

2) 국내 동향

산업통상자원부의 발표에 따르면 자동차 산업군의 로봇 보급대수는 87,417대(로봇밀도 2,235)인 반면에 뿌리 산업군의 로봇 보급대수는 4,112대(로봇밀도 84)에 불과한 것으로 나타났다.

제조로봇의 도입으로 시작된 국내 로봇산업은 지난 10여 년간 연평균 10% 이상의 성장세를 보여주며 2017년 기준 약 3조 원 규모에 이르러 세계 5위권에 진입하게 되었다.

하지만 소품종 대량생산 체제를 갖춘 제조 분야(전기, 전자, 기계, 자동차 등) 시장이 전체 로봇 시장의 80% 이상을 차지하고 있어 전반적인 로봇 활용률은 매우 저조하다. 로봇 시장이 제조 로봇에 편중되어 있고 일부 산업군을 제외한 나머지 산업군의 활용률이 낮음에도 불구하고 로봇산업이 매년 성장하는 이유는 서비스 로봇 분야의 성장세가 한몫을 하고 있기 때문이다.

청소로봇, 물류로봇, 의료로봇으로 대표되는 서비스 로봇 분야는 2017년 기준 6,073억 원의 규모를 보이고 있으며, 이 중 가사지원 로봇은 전체 서비스 로봇 시장의 38.2%를 차지하고 있다.

구분	자동차	전기 전자	뿌리 산업	플라스틱 화학	식음료	기계	기타 제조업	기타	합계
대수	87,417	141,691	4,112	10,072	1,041	3.624	2,504	22,919	273,380
비중	32.0%	51.8%	1.5%	3.7%	0.4%	1.3%	0.9%	8.4%	100%

[표 7] 국내 제조로봇 보급 현황

국내 협동로봇 시장의 규모는 2016년 기준으로 102.3억 원으로 추산되고 있다. 2015년 기준으로 아시아 태평양 지역의 협동로봇 시장이 360.8억 원이며, 이 중 일본이 130.9억 원, 중국이 126.5억 원인 것을 고려할 때 국내 시장규모는 이들 국가와 유사한 수준임을 알 수 있다.

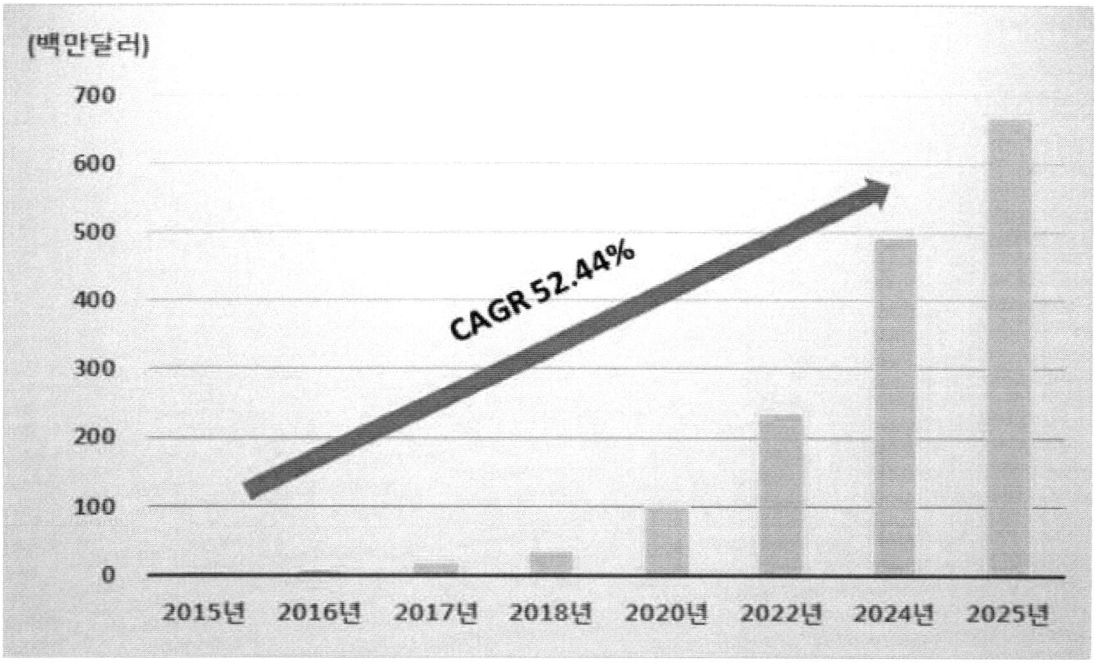

[그림 30] 국내 협동 로봇 시장 규모 및 전망

국내 전체 로봇산업시장이 3조 원에 달하는 것에 비하면 협동로봇 시장은 매우 작은 점유율을 보이고 있으나 연평균 52.44%의 고성장이 예상되고 있어 2022년에는 시장규모가 약 232백만 달러에 이를 전망이다.

한국로봇산업진흥원에서 2017년 조사한 로봇산업 실태조사에 의하면 국내 로봇 사업체 수는 전년과 유사한 수준인 것으로 조사되었다. 로봇을 생산하는 기업의 매출액과 생산액이 함께 증가하였으며 내수 부문에서는 전년대비 21.8%, 수출 부문에서는 전년대비 17.6% 증가한 것으로 조사되었다.

방송부문에 일부 적용되는 엔터테인먼트용 로봇은 사회 안전 분야, 의료 분야, 농림어업 분야에 비해 출하 현황이 집계되지 않을 만큼 사실상 국내에서 출하되지 않는 것으로 조사되었다.

04. 물류 로봇

4. 물류 로봇[10)11)]

가. 물류 로봇 개요

물류 로봇은 물류센터, 공장 등에서 IoT 기술과 자율주행 등 로봇 기술 및 학습을 통한 환경·상황인식, 스케쥴링 등 인공지능 기술의 융합을 통한 물류 효율 향상을 목적으로 하는 로봇시스템으로 물품의 포장·분류·적재 및 이송과정에 주로 활용된다. 물류로봇은 물류센터, 공장물류, 병원·요양원·호텔 등 대형 건물에서의 물류이송, 재고관리 등에 적용될 수 있다. 현재 구글, 아마존, DHL 등 세계적 기업들이 물류혁신을 위한 로봇 기술을 도입하고 있으며, 물류 효율이 각국의 산업 경쟁력을 좌우하는 등 물류 산업이 미래핵심 산업으로 등장하고 있어 중요성이 대두되고 있다.

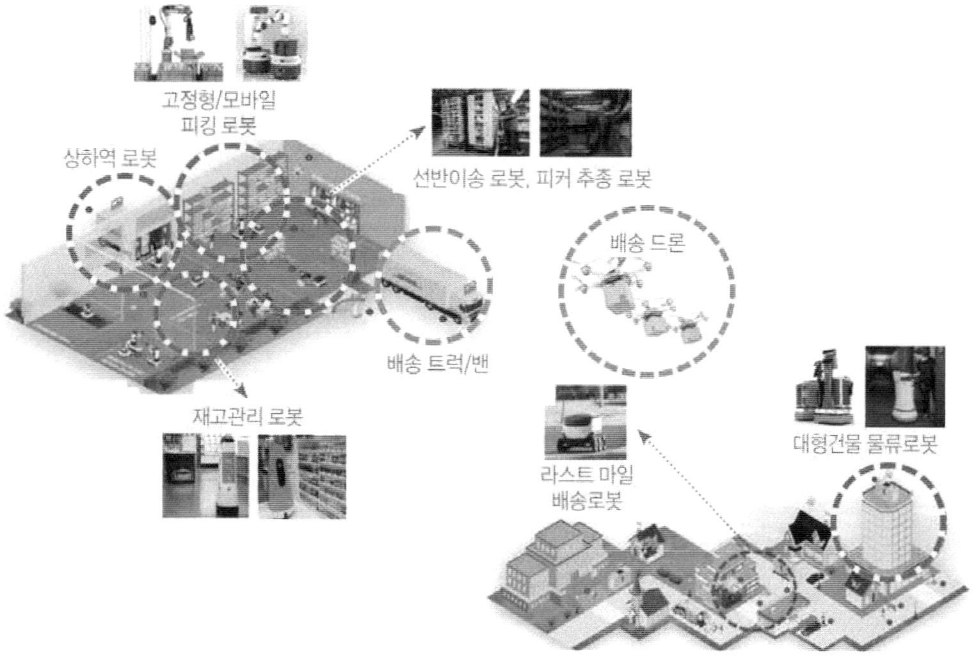

[그림 32] 물류 로봇의 유형

현재 시장에 진출한 물류로봇들은 주로 물건을 운반하는 기능에 집중하고 물건을 집어서 포장하거나 선별하는 것은 사람이 하는 등 협력 작업을 통해 시장을 확대하고 있다. 대표적인 물류 로봇으로 아마존의 키바시스템즈 로봇을 들 수 있는데, 이는 전문용어로는 오더 피킹(Order Picking)용 로봇이라고 하여 주문에 맞는 물품을 창고 내에서 이동시키는 기능을 갖고 있다.

아마존의 방식은 물품이 사람에게 오게 하는 방식으로 높은 효율성을 추구하는 방식

10) 제조와 전문서비스의 경계를 허무는 물류로봇, 황정훈, 전자부품연구원, 2018.06
11) 물류로봇 기술동향 및 향후전망, KEIT PD Issue Report, 2017.07

이다. 오더 피킹용 로봇에는 키바시스템즈의 로봇 외에도 미국의 6리버 시스템즈(6 River Systems), 로커스 로보틱스(Locus Robotics), 페치 로보틱스(Fetch Robotics) 등에서 관련 로봇을 출시하였다. 이 로봇들은 아마존의 키바시스템즈 로봇과는 다르게 작업자들이 로봇과 함께 이동하며 로봇에 탑재된 화면을 통해 오더를 확인하고, 물품을 집어서 로봇에 싣고 로봇은 선별된 물품들을 이송하는 방식을 사용하고 있다.

미국과 유사한 물류환경을 갖고 있는 중국의 대표적 전자상거래 업체인 알리바바(Alibaba)도 아마존의 키바시스템즈 로봇과 유사한 물류로봇을 물류창고에 적용하고 있다. 국내에서는 CJ대한통운이 국내 환경에 적합한 오더 피킹용 물류로봇을 개발하여 2018년 물류센터 적용을 앞두고 있다.

병원에서도 유사한 시스템이 도입되고 있다. 주로 의약품, 검체 등의 소형물과 식사 등의 중형 물품 이송을 위해 사용되는 병원용 물류로봇은 미국 아테온(ATHEON) 사의 TUG, 일본 파나소닉(Panasonic)의 HOSPI-R 등이 있으며, 우리나라에서는 유진로봇이 스스로 엘리베이터 탑승까지도 가능한 고카트(GoCart)를 개발하여 국내외에서 본격적인 상용화를 앞두고 있다.

호텔에서 활용되는 물류로봇도 시장에 등장하였다. ROS로 유명한 윌로우 개러지(Willow Garage) 출신의 스콧하산이 설립한 미국 사비오크(Savioke) 사는 야간에 룸서비스가 취약한 점에 착안하여 세계 최초의 호텔 룸서비스 로봇을 개발, 상용화하였으며 미국의 크라운 플라자 호텔, 일본의 시나가와 프린스 호텔 등에서 실제로 서비스하고 있다.

물류로봇은 실외에서도 활용되고 있다. 세계적 피자 레스토랑 체인업체인 도미노 피자는 2017년 독일에서 로봇을 통한 피자배달 서비스를 정식으로 도입하였다. 스타쉽테크놀로지스(Starship Technologies) 사에서 개발한 이 물류로봇은 신선도 유지를 위한 온도조절 기능과 함께 센서를 통해 장애물과 보행자를 감지하여 안전한 이동이 가능하다.

물류로봇의 다음 적용 분야는 물류 배송 전면에서의 활용이라 할 수 있다. 앞서 아마존의 로봇 도입은 물류창고의 부분 자동화에 해당하고, 도미노 피자의 로봇 피자 배달 서비스는 라스트 마일 딜리버리(Last Mile Delivery)에 해당한다. 이처럼 물류로봇은 아직까지는 물류 배송에 있어서 부분적으로만 사용되고 있다. 그러나 DHL, UPS 등은 이미 물류 전반에서 로봇을 이용한 물류배송 고도화 계획을 내놓고 있다.

앞서 물류창고 내 오더 피킹 로봇과 로봇 자율주행 기술이 반영된 자율이송 트럭,

그리고 라스트 마일 딜리버리에 이르기까지의 전 과정에 로봇기술을 도입하는 것이다. 여기에 부족한 부분이 로봇이 직접 물품을 집어서 담는 로보틱 피킹이다. 이는 아직까지 기술적으로 완성도가 부족한 부분으로, 아마존에서는 해당 기술 확보를 위하여 2015년부터 아마존 피킹 챌린지(Amazon Picking Challenge)라는 대회를 개최하여 세계 최고 수준의 로보틱 피킹 기술을 탐색한 바도 있다. 물론 현재의 로보틱 피킹 기술이 전혀 쓸모없는 수준은 아니다. 독일의 매가지노(Magazino) 사는 선반에 있는 물체를 피킹 할 수 있는 모바일 피킹로봇 토루(Toru)를 상용화하였다.

다만 아마존 피킹 챌린지 등에서와 같이 유연물 등을 포함하거나 여러 가지 물체가 혼재되어 있는 것은 아니고 선반 위의 책, 신발 박스 등 비교적 정형화된 물품을 대상으로 하고 있다. 그럼에도 불구하고 벌써 DHL 등에서 해당 로봇의 활용을 적극적으로 테스트하고 있다고 한다.

이처럼 로봇이 물품을 직접 핸들링 할 수 있게 된다면, 물류 전반에 있어서 완전 로봇화가 이루어질 수 있게 된다. 또 한 가지 기술적 진보가 필요한 부분은 물류창고, 공장과 같이 로봇을 위해 환경을 개선할 수 있는 분야와 달리 다수의 사람들이 존재하는 일상 공간에서의 이동 기술이다.

특히 각종 도어, 엘리베이터와 크고 작은 장애물이 존재하고 끊임없이 사람들이 이동하는 환경에서의 물류로봇은 이동 성능뿐만 아니라 대인·대환경 안전성 등이 추가로 요구된다. 이동 기술이 안전과 성능 측면에서 좀 더 완전해 지면, 마트, 공항 등에서 사람들은 더 이상 카트를 끌고 다니지 않아도 될 것이다. 대신 마치 강아지가 주인을 쫓아다니듯 카트가 사람을 따라다니는 것도 가능해진다.

산업적으로 확장이 필요한 부분도 있다. 현재는 프로토타입 수준이나 향후 적극적인 도입이 기대되는 분야로 대형마켓, 소매점, 물류센터 등의 재고 파악, 관리 등을 할 수 있는 재고 관리 로봇 등이 그것이다. 특히 현재의 프로토타입은 단순 재고파악 수준이나 앞서의 로보틱 피킹 기술 등이 완성된다면, 물리적인 재고관리도 가능할 것으로 기대되고 있다.

물류로봇의 시작은 공장에서 라인 간, 라인과 공장 물류창고 간 작업물을 배송하던 AGV에서 시작했다고 볼 수 있다. 그러나 기술의 발전에 따라 물류로봇은 공장을 벗어나 물류창고, 병원, 호텔, 대형마켓에 이르기까지 다양한 환경으로 그 적용 분야가 확대되고 있다. 이러한 특성으로 인해 물류로봇은 제조용 로봇과 서비스용 로봇의 경계를 모호하게 하는 대표적인 로봇이기도 하다. 그리고 이러한 확장성이 물류로봇의 성장을 기대하게 하는 요인이다.
실제로 많은 시장 전망 자료에서 물류로봇은 제조로봇을 이어 가장 큰 로봇시장을

이룰 것으로 전망되는 분야이기도 하다. 우리나라는 제조로봇 활용 강국이지만, 제조로봇기술의 강국은 아니다. 여러 가지 이유가 있겠지만 가장 큰 이유는 이미 일본과 유럽의 업체들이 시장을 선점하고 기술장벽을 쌓았기 때문이라고 생각한다.

물류로봇은 아직까지는 기술적, 산업적으로 완전히 성숙하지 않은 시장으로 우리에게도 기회가 있을 것으로 생각되는 분야이다. 또한 물류로봇은 로봇의 대표적 기능인 이동 기능과 조작 기능이 모두 필요한 분야로 제조 및 서비스 분야로의 기술적, 산업적 파급효과가 막대한 분야이기도 하다.

As is	To be
사람과 협업한 오더 피킹	로봇 단독의 오더 피킹
정형화된 물품/환경에서의 피킹	유연물 등 대부분의 물품/비정형 환경에서의 피킹
평탄한 실내 등 이동가능 환경의 제약	엘리베이터, 자동문, 경사로 등 대부분의 거주 환경에서 이동 가능
로봇 외 연동 부족	스마트빌딩/스마트홈과의 연동
근거리 실외 시범 배송	중단거리 실외 배송(현 배달시스템 대체)
물류창고 내 등 제한적 물류 자동화	물류 전 단계의 무인화/자동화

[표 8] 물류로봇 기술 전망

나. 물류 로봇 기술 동향

물류로봇의 사업화는 크게 공장/물류센터 물류로봇과 병원, 요양원 등 대형건물 물류로봇 제품으로 추진 중이다. 2015년 기준 아시아 태평양(40.5%), 유럽(32.2%), 북미(24.7%)의 순으로 시장 규모를 형성하고 있으며 전세계적으로 고른 성장세가 예상되나, 물류로봇의 생산지 비중은 북미(81.1%), 아시아 태평양(10.7%), 유럽(8.1%) 순으로 북미 편중 현상이 심한 편이다.

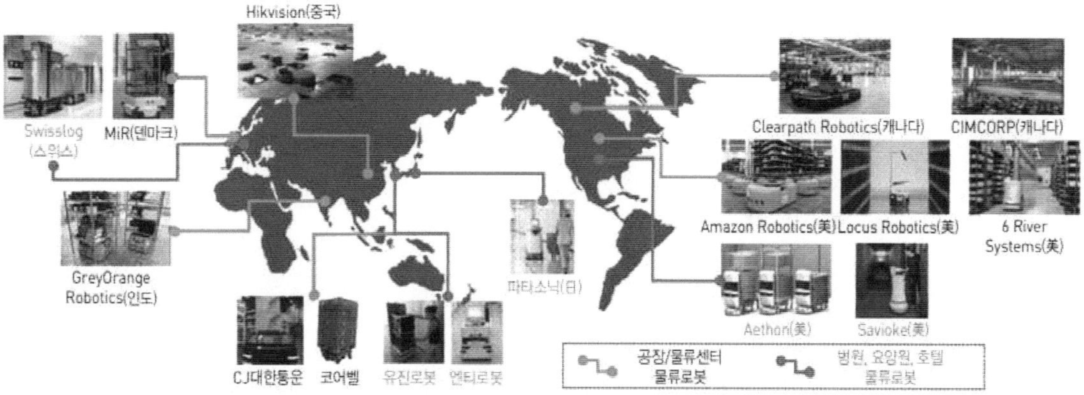

[그림 33] 물류로봇 제품 개발 및 사업화 동향 요약

1) 해외 동향

가) 물류센터/공장물류 로봇

대부분의 기업은 물류센터 적용을 우선 목표로 제품을 개발하고 있으며, 고객은 유통/전자상거래/대형마트, 반도체/전자/자동차/항공, 가구업체 등이며, 주로 오더 피킹[12)]의 목적으로 사용하고, HikVision의 경우 택배 분류 작업에 활용하고 있다. 최근 물류센터와 공장물류 로봇은 자율주행, 피커 추종, 다중로봇 운영 최적화, WMS (Warehouse Management System) 연동 기능이 개발되었다.

기업(국가)	주요 특징
아마존 로보틱스(미국) 	• 주 사업 영역: 물류센터 • 누적 4.5만대 로봇 운영으로 비용 80% 절감 • 물건 처리시간이 90분에서 15분으로 단축 • 인간-로봇 협업 및 다중로봇 최적 스케줄링 • 최대 340kg 적재, 6.4km/h (1.78m/s) 속도
ADEPT(미국) 	• 사업영역: 공장물류(반도체/전자/자동차 등), 물류센터, 음식, 의료 등 • 전세계에 3만대 이상의 로봇 설치 • 2015년에 일본 오므론(Omron)에서 인수
6RS(6 River Systems) (미국) 	• 물류 창고 로봇 Chuck 개발, 높이 조정 가능 • 터치 스크린 탑재(담아야 할 물품 이미지, 개수, ID, 작업자 이동 방향 등 표시)

[표 9] 물류센터/공장물류 로봇 기술 동향

12) 고객의 주문에 따라 물품을 보관 장소에서 찾아내어 각 배송처별로 분류하고 정리하는 것. 로봇이 피킹 작업자(피커) 앞으로 이동하면 피커가 로봇의 바구니에 주문한 물품을 담고 로봇이 다음 목적지로 이동하는 형태이거나, 물류로봇이 피커의 뒤를 따라서 이동하면 피커가 로봇에 물품을 담는 형태 등으로 응용됨. 로봇 적용 전에는 사람이 카트를 끌고 이동하면서 주문 물품을 보관장소에서 찾아서 직접 담는 수작업 형태가 가장 일반적인 형태임 (물류센터 작업의 80%가 수작업 형태로 운영)

기업(국가)	주요 특징
Clearpath Robotics (캐나다) 	• 자율주행 창고 로봇 OTTO 개발 및 사업화 • OTTO-1500(2015년, 최대 1,500kg) • OTTO-100(2016년, 최대 100kg)
CIMCORP (캐나다) 	• 천정 레일을 통해 상하좌우로 이동하는 물류 자동화 시스템으로 일종의 AS/RS (Automated Storage and Retrieval System) 시스템 • 주요고객: 화장품, 식음료, 타이어 기업 • 국내 도입 기업: 서울우유, 남양 등
Mobile Industrial Robots (덴마크) 	• MiR100: 최대 100kg, 운영 10시간, 1.5m/s, 산업/물류/의료분야에서 소량 물품 실내 배송 • 주요고객: 에어버스, 보잉, 하니웰, 미쉐린, P&G, 토요타, 월마트 등 30개국 글로벌 기업 • MiR200: 최대 200kg, 정전기 방전(ESD) 규격 외장으로 전자조립 응용에 적합
GreyOrange Robotics (인도) 	• 인도 물류 자동화 시장의 90% 점유 • 이송로봇 버틀러(Butler): 400-500개/시간 • 물품 분류(Sorter) 로봇: 300만개/일 • 일본 최대 가구 체인에 버틀러 공급
Hikvision (중국) 	• HIKRobot: 5kg, 3m/s, 8시간/1.5시간 충전 • 중국 물류회사 신통택배(STO Express, 중국 택배 1위)에 적용, 하루 20만개 소포 처리 • 택배 분류 작업을 로봇이 처리

[표 10] 물류센터/공장물류 로봇 기술 동향

나) 피킹(Picking) 기능을 가진 물류로봇

현재 로봇이 직접 물품을 집어서 담는 피킹 기능은 프로토타입 개발 및 시범 적용 단계다. 해당 물류로봇은 피킹 로봇과 이송 로봇이 쌍으로 구성되어 온라인 주문시 주문 물품을 피킹 로봇이 피킹하여 이송 로봇이 포장대까지 운반하는 역할을 한다.

본 로봇은 로봇이 직접 물건을 피킹하기 때문에 기존 창고환경에 변화를 최소화하면서 도입하여 24시간 운용이 가능하고, AS/RS(Automated Storage and Retrieval System)와 같은 자동화 창고, DPS(Digital Picking System), 컨베이어 등을 도입하는 것에 비해 저렴하다. 또한 순차적 도입이 가능하여 중소규모의 유통업체에도 적합하다.

기업(국가)	주요 특징
Fetch Robotics (미국) 	• 피킹로봇 Fetch, 이송로봇 Freight(최대 68kg) Freight500, Freight1500 (숫자: 적재용량) • 주문 접수시 Fetch와 Freight가 창고에서 해당 물건을 바구니에 넣어 포장대까지 운반 • 다중로봇 관리 SW: Fetchcore
InVia Robotics (미국) 	• 피킹로봇 GrabIt, 이송로봇 TransIt • GrabIt: Suction 방식, 14kg • RaaS(Robot as a Service) 도입: 10센트/피킹 • 고객: 온라인 사무용품 판매업체 LD Products Inc.
Right Hand Robotics (미국) 	• Havard, Yale, MIT 연구자들이 공동 개발 • 사람과 비슷한 시간당 500~600개의 아이템을 집을 수 있는 RightPick 기술 • 플라스틱으로 포장된 물건, 다른 물건에 의해 부분적으로 가려진 물건을 인식하는 문제 해결

[표 11] 피킹기능을 가진 물류로봇 기술 동향

다) 물류이송 로봇

병원·요양원을 중심으로 소형(의약품/검체), 중대형(식사/린넨) 물품이송 중심으로 사업화가 되었으며, 시장이 확대되고 있는 중이다. 호텔에서는 Savioke가 Relay 로봇으로 초기 시장 개척 중이다. 대형건물에서의 물류이송 로봇에는 자동문, 엘리베이터 연동 기능이 필요하며, 여러 사람들이 함께하는 공간에서 운영되어 중저속으로 이동하는 것이 특징이다.

기업(국가)	주요 특징
AETHON (미국) 	• 병원에서 의약품, 검체, 식사, 린넨 등의 배송을 주목적으로 하는 로봇 TUG • 최대 450kg, 10시간 • 미국/유럽/호주 등 전세계 150개 이상 병원에서 500대 이상 로봇 운영(2013년) • 자동문 연동, 엘리베이터를 이용한 층간 이동
Swisslog (스위스) 	• 병원물류로봇 TransCar(고중량 물품, AGV), RoboCourier(실험실 표본, 의약품 등 운반) 개발 및 사업화
Savioke (미국) 	• 호텔 등에서 스낵, 타월 등 각종 서비스 용품을 배달하는 로봇 Relay 개발 • 미국 내 호텔에서 30대 이상이 사용 중
파나소닉 (일본) 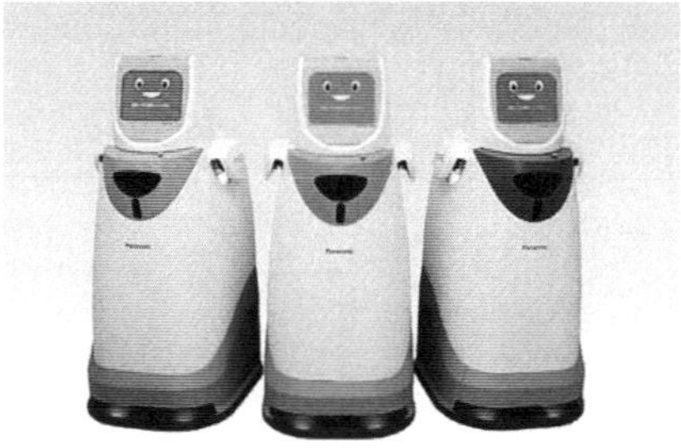	• 병원내 의약품 및 기타 용품 운반용 로봇 HOSPI-R 개발 • 로봇 무게 170kg, 연속 운영 시간 9시간, 최대 20kg 적재,1.0m/s 속도

[표 12] 물류이송로봇 기술 동향

라) 라스트 마일 배송 로봇

일부 해외 스타트업 및 드론 업체를 중심으로 최종 소비자에게 음식을 배송하는 서비스 중심으로 제품을 테스트하는 단계로, 국토가 넓은 해외에서 제품 테스트가 진행되고 있으나 아파트 중심의 국내에서는 업체들이 많은 관심을 가지지는 않고 있다.

기업(국가)	주요 특징
Starship Technologies (미국) 	• 보행로를 따라 이동하는 실외 배송 로봇 • 최대 9kg, 5-30분 거리 배송 • 제품 테스트 단계
Dispatch (미국) 	• 실외 배달용 로봇 Carry, 최대 45kg • 보행로, 산책로, 자전거 도로 등으로 이동
Marathon Targets(호주) 	• 피자 배달로봇 프로토타입 DRU(Domono's Robotic Unit) • 도미노 피자와 호주 스타트업 Marathon Targets가 공동 개발

[표 13] 라스트 마일 배송 로봇 기술 동향

마) 재고관리 로봇

물류센터 또는 대형 마켓, 소매점에서 재고 파악 중심의 관리를 위해 개발되고 있으며, 현재 제품 테스트 단계로 독일 Magazino의 경우 물류센터에서 재고 파악 뿐 아니라 재고 관리를 위한 물리적인 작업도 수행하고 있다.

기업(국가)	주요 특징
Lowe's (미국) 	• 매장 고객 응대/광고, 재고 관리 로봇 LoweBot(OSHBot)
Magazino (독일) 	• 물류센터 재고 관리 로봇 토루(TORU) • 선반에 박스 적재, 빼기, 옮기는 작업 수행
후지쯔(일본) 	• 대형 마켓에서의 재고 관리 로봇 메이티(MATEY) - 결품 파악 및 보충 물품의 종류, 위치 통보

[표 14] 재고관리 로봇 기술 동향

바) 공통 솔루션 관련 기업

기존 유인 운전 시스템에 자율주행을 위한 센서모듈 및 SW를 장착하여 로봇화를 하는 솔루션 업체와, 직접 교시를 통한 주행학습 기술, 실제 환경에서 사용하며 지속적 학습을 통해 로봇이 스스로 최적의 주행기술을 학습하는 기술 등 연구중심의 업체들이 해당된다.

기업(국가)	주요 특징
Seegrid (미국) 	• CMU에서 개발한 기술을 바탕으로 무인자율주행을 위한 비전 시스템(3D Vision 기반 Navigation SW)을 개발 • Seegrid 솔루션 + 지게차 ≒ 무인 지게차 (VGV: Vision Guided Autonomous Vehicle) • 직접 교시: 작업자가 승차하여 경로를 주행하여 학습 • 고객: 아마존, 월풀, BMW, JAGUAR, VOLVO, Walgreens, United States Postal Services 등 제조·유통·물류회사
Brain Cooperation (미국) 	Training에 기반한 ‘로봇 운영 시스템(Brain OS)’ 제공, 훈련을 거듭하면서 로봇이 스스로 학습: 자율주행을 위한 인공지능 시스템 개발에 특화 • 인공지능 Brain ‘EMMA’(Enabling Mobile Machine Automation) • 기존 기계 + EMMA -> 자율주행 기계

[표 15] 피킹기능을 가진 물류로봇 기술 동향

2) 국내 동향

가) 물류센터/공장물류 로봇

물류센터/창고를 위한 자동화 솔루션 기업이 주를 이루고 있으며, 해외에서 사업화가 이미 진행된 자율주행, 피커 추종, 다중로봇 운영 최적화, WMS 연동 등의 기능을 가지는 물류로봇은 아직까지 기술개발 및 시험 단계에 머물러 있다.

하지만, 전문 물류기업 주도하에 기존 인프라에 변화를 주지 않거나 최소화하면서, 24시간 작업이 가능한 물류로봇의 단계적 도입 추진이 예상된다.

한화(기계부문), 칼텍, 한성웰텍, 엔스퀘어 등 다수기업이 물류센터/창고를 위한 자동화 솔루션을 사업화 하고 있으며, CJ대한통운 종합물류연구원에서 자율주행 물류로봇(최대 500kg, 1m/s)을 개발(전자부품연구원/KAIST/엔스퀘어 공동개발)하여 물류센터에서 시험 중에 있다. 또한, 코어벨은 박스별로 해당하는 팔레트에 구분 적재하는 구분적재 로봇 시스템 및 물류이송에 사용되는 무인운반차(최대 250kg/500kg)를 개발하여 로봇 보급사업을 수행하고 있다.

나) 물류이송 로봇

병원·요양원을 중심으로 소형(의약품/검체), 중대형(식사) 물품 이송 형태로 기술개발이 되었으며, 시장 개척 단계이다. 특징으로는 자동문, 엘리베이터 연동 및 중저속(1m/s) 이동이 있다.

유진로봇은 병원, 노인간병 시설, 푸트코트 등에서 활용할 수 있는 운반 로봇 'GoCart' 개발: GoCart 1.0(60kg 이하), GoCart 2.0(최대 300kg)를 발표했는데, 이들은 모두 엘리베이터를 이용한 층간 이동이 가능하다는 장점이 있다.

엔티로봇은 의료검체 무인운반로봇(Sbot, 최대 80kg, 1m/s 속도)을 개발하여 국내외 보급사업을 수행하고 있다.

다. 물류 로봇 시장 전망[13]

1) 해외 동향

지난해 7월 시장조사업체 스태티스타는 2018년 36억 달러(약 4조2832억 원)였던 세계 물류로봇 시장이 2019년 60억 달러(약 7조1376억 원), 2020년 68억 달러(약 8조829억 원)에 이른 것으로 보아, 2027년까지 연평균 6.8% 성장할 것으로 예측했다.

물류로봇의 대당 판매 가격은 2019년 약 27,000달러로 2017년 가격 33,172달러의 70% 이하 수준으로 하락하였고 앞으로도 하락할 것으로 예상된다.

	2017	2018	2019	2020	2021	2022	2023	CAGR
판매 대수(천대)				175				36.3%
	35.3	48.1	65.6	114	158	207	259	
시장 규모 (백만달러)				5,325				22.6%
	1,711	1,436	1,760	1,880	1,980	20,656	22,985	
대당 판매 가격 (달러)				30,429				-7.8%
	33,172	29,838	26,839	25.859	22,597	21,896	20,598	

[표 16] 물류로봇 세계시장 규모

13) 농업용 로봇 시장, 연구개발특구진흥재단, 2018.2

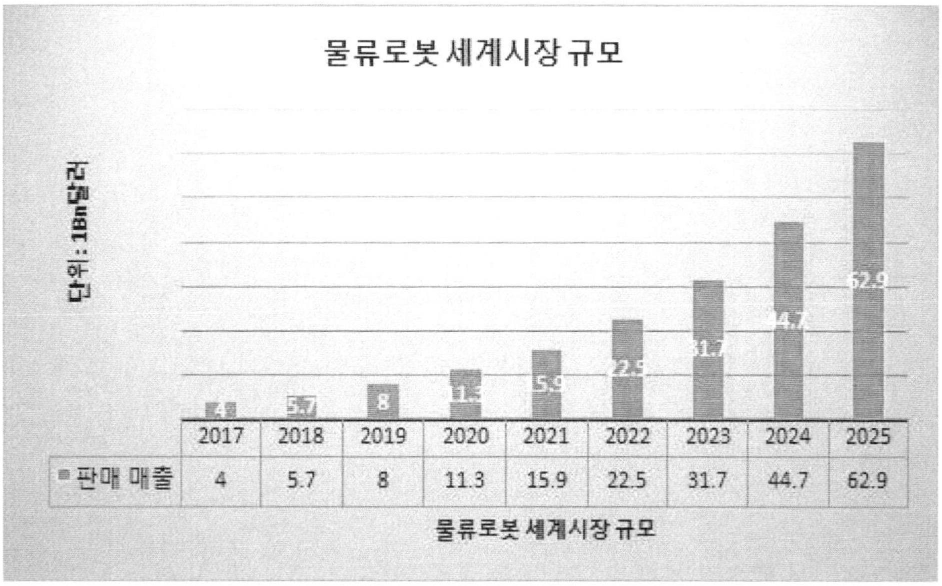

[그림 57] 물류로봇 세계시장 규모와 예측 (단위: 1Bn(억) 달러)

2) 국내 동향

한국산업기술평가원(KEIT)에 따르면 전 세계 물류로봇은 2016~2019년 판매대수 기준, 전문 서비스 로봇의 53%를 차지해 전문 서비스 로봇 중 가장 유망한 분야로 전망된다. 또한 정부 역시 관련 산업의 지원에 박차를 가하고 있는 중이다.
국내 물류로봇 시장은 현재 형성 초기 단계로, 2022년까지 시장 규모는 연평균 13.0% 증가하고 206억원에 달할 전망이다.

05. 농업 로봇

5. 농업 로봇[14)]

가. 농업 로봇 개요

농업로봇은 농업 생산과 가공, 유통, 소비의 전과정에서 스스로 서비스 환경을 인식(Perception)하고, 상황을 판단(Cognition)하여 자율적인 동작(Mobility & Manipulation)을 통해 지능화된 작업이나 서비스를 제공하는 기계이다.

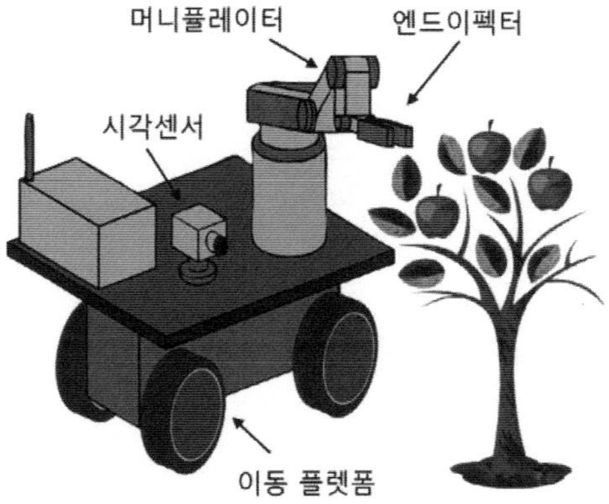

[그림 59] 자주형 농업 로봇

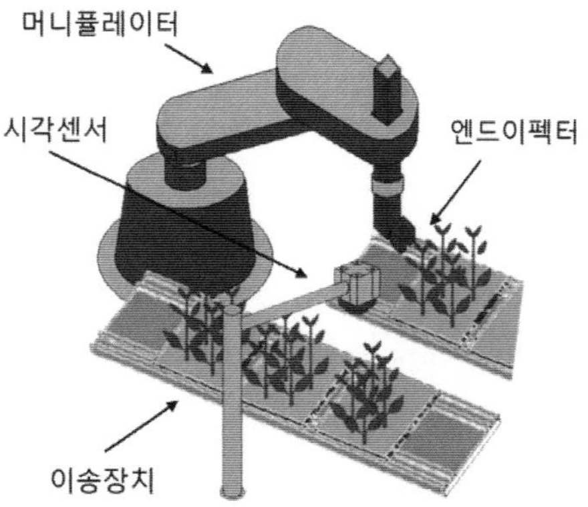

[그림 60] 정치형 농업로봇

농업용 로봇산업은 전문서비스용 로봇산업 분류에 속해 있으며 농업 생산과 소비, 유통과 경영 등의 전 과정에서 자율적인 기능을 통해 농작업이나 농업 관련 서비스를 제공하는 로봇을 제조하는 산업이다.

14) 농업로봇 기술동향과 산업전망, KEIT PD Issue Report, 2015.02

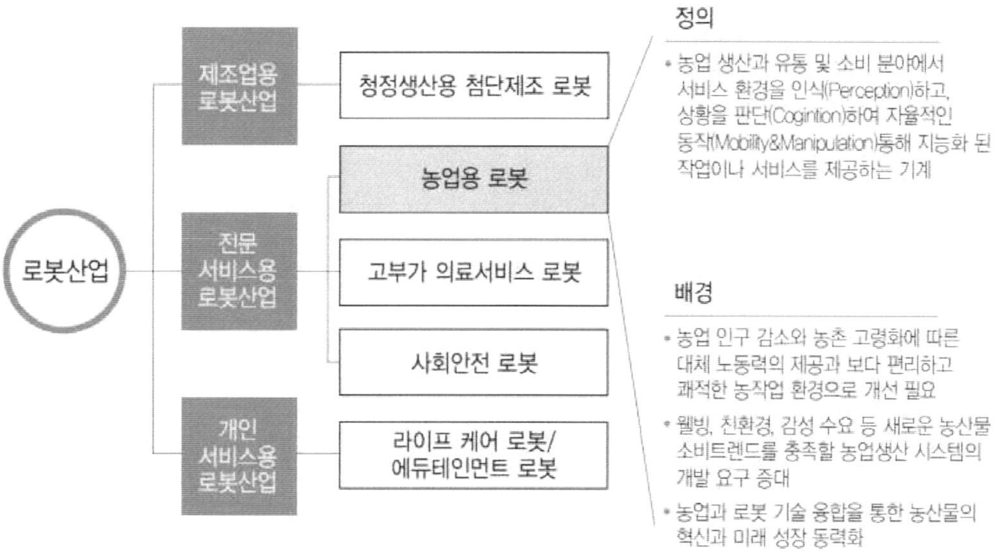

[그림 61] 농업 로봇의 범위

농업 로봇이 대두된 배경을 살펴보면 크게 농업·농촌 여건 변화, 한국농업의 정체, 사회적 문제, 기술적 이슈로 나눠볼 수 있다.

① 농업·농촌 여건 변화

현재, 농업에서는 정보통신·바이오·에너지 분야 기술과의 융복합을 통한 새로운 성장산업이 등장하면서, 고부가가치의 새로운 시장이 창출될 기회가 확대되고 있다. 또한, 농업에 있어서 지구 온난화, 기상 이변의 빈발로 농업생산의 감소 위험이 증가하고 있으나 한편, 새로운 소득 작목·품종 개발의 기회로 작용하고 있기도 하다. 그리고 무엇보다도 자연친화적 삶을 추구하는 등 농업·농촌과 관련된 새로운 가치 문화가 확산되고, 교통 발달, 농촌 정주여건 개선으로 베이비부머 뿐 아니라 젊은 세대의 농촌 거주가 늘어나면서 청년층 농업창업 관심도 증가할 전망이다.

② 한국농업의 정체

최근 원예·축산분야 성장에 힘입어 농업생산액은 다소 증가했으나, 국민경제에서 차지하는 농업의 비중과 곡물자급률은 감소 추세를 보이고 있다. 또한, 농업경영주의 고령화가 심화되고, 중소농 비중이 크며, 전반적인 농가소득은 정체 상태이다.

따라서 농업 내부 투자여력 부족으로 농가의 자본투자가 정체되고, 농업생산성은 다소 성장했으나 대외경쟁력과 기술 수준은 정체 상태라고 할 수 있다.

③ 사회적 문제

저출산·고령화문제는 농업과 농촌에 더욱 심각한 형태로 나타나고 있으며, 노동력 부족과 산업의 경쟁력 약화로 이어지고 있다. 또한, 여성의 영농 활동이 증가하고 싱글가정, 다문화 가정 등 다양한 가족형태가 농촌사회를 구성하고 있다.

④ **기술적 이슈**

ICT/BT/NT 기술의 급속한 발전과 함께, 각 산업 분야별로 새로운 Killer Application 창출을 위한 기술과 산업 간의 융합이 이루어지고 있으며, 새로운 Break-through 기술개발을 위한 경쟁이 치열하다.

또한, 센서, 액추에이터 등 메카트로닉스 기술의 발달과 인공지능, 사물지능통신 등 지능화 기술의 진보로 모든 산업의 제품과 서비스가 스마트화를 향해 진화하고 있으며 산업과 기술 뿐 아니라 정치와 경제, 문화에 이르기까지 스마트 기술이 변화의 키워드가 되고 있다.

앞서 살펴본 다양한 이유로 인해 노동비용, 농산물 생산성, 부가가치, 작업 여건 및 생산 환경 개선 등 산업환경 변화에 따른 로봇 도입 시 비용대비 효과 측면의 이점(merit)이 부각되면서 농업 로봇의 신규도입 가능 분야가 점차 확대되고 있고, 작업 실행측면에서는 인력 작업과 단순 기계작업의 중간 위치에서, 각각의 단점을 보완할 수 있어 로봇도입이 점차 확산되는 추세(착유로봇, 접목로봇 등)이다.

로봇화는 작업량과 복잡성을 기준으로 보면 전용 기계작업과 인력작업의 중간에 위치하며, 전용기계는 작업량이 일정규모 이상 많고 초기 투자를 회수할 수 있을 경우 비용대비 효과가 높다. 하지만, 여전히 제품의 종류가 매일 바뀌거나 유연물을 포함하는 조립공정에서는 수작업이 로봇에 비해 유리하다.

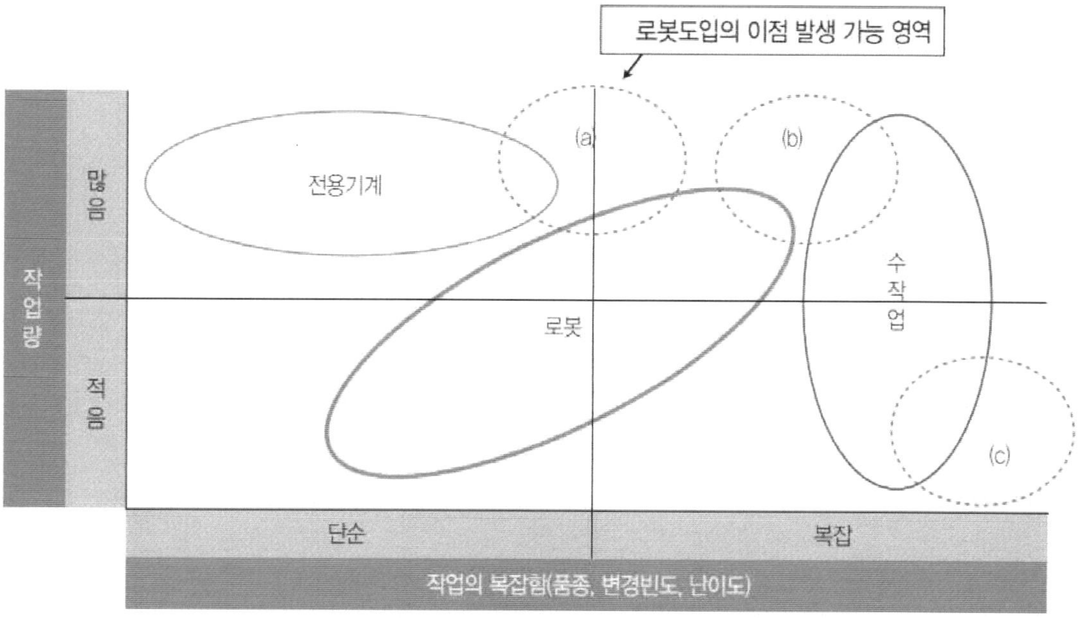

[그림 62] 로봇의 산업환경

전용기계와 수작업이 비용대비 효과를 낼 수 없는 다음과 같은 경우((a)~(c))에 로봇화의 이점이 발생할 수 있다. 먼저, (a)는 작업량이 많아도, 작업의 복잡함이나 변동의 정도에 따라 로봇기술의 활용이 전용기계 이상의 효과를 낼 수 있다. (b)는 작업이 복잡해도, 로봇기술을 도입하여 자동화 혹은 작업의 간소화(투입 에너지/기술력 절약)를 실현할 수 있다. (c)는 작업 내용이 수작업의 숙련도로 따라갈 수 없을 만큼 빈번히 바뀌는 경우이다.

나. 농업 로봇 기술 동향

1) 해외 동향

가) 미국[15)]

2019년 출시 된 펜트(Fendt)사의 크사버(Xaver) 로봇은 모종/씨앗을 심는 작업부터 비료주기, 잡초제거, 작업 감독까지 가능하며, 클라우드 컨트롤, 인공위성 기반의 탐색 기술이 가능한 정밀농업(Precision Farming)[16)]을 위한 로봇이다.

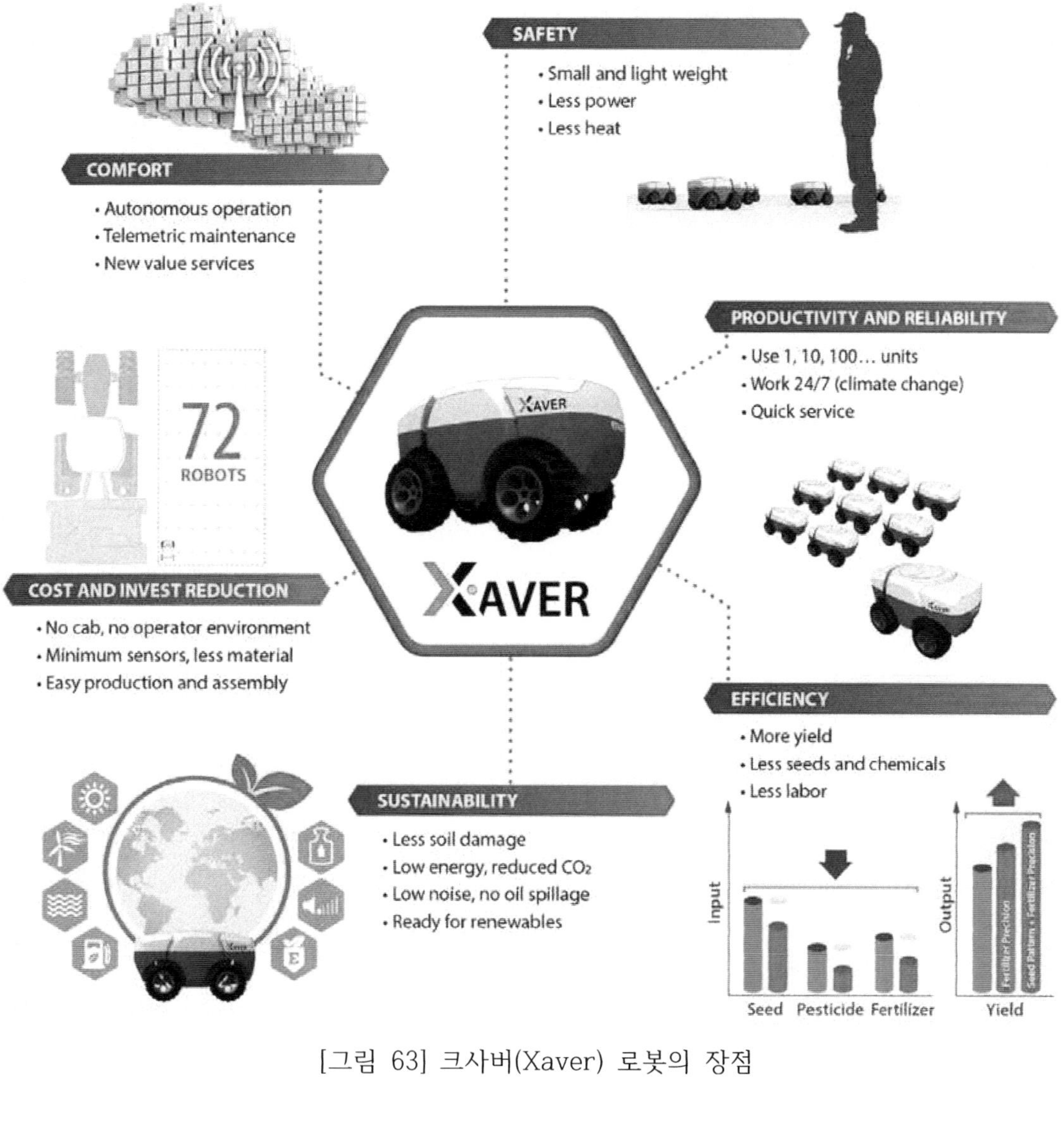

[그림 63] 크사버(Xaver) 로봇의 장점

15) 로봇이 가져올 미국 농업의 변화, 임소현, KOTRA, 2019.05.15
16) 정밀농업: 정보통신기술(ICT)을 활용해 비료, 물, 노동력 등 투입자원을 최소화하면서 생산량을 최대화하는 생산방식으로 적절한 수확량과 품질을 유지하면서 친환경적인 생산체계를 만들 수 있음.

비전 로보틱스(Vision Robotics)는 농작물이 잘 자랄 수 있도록 적절한 거리를 두고 씨앗을 심는 로봇 개발했다. 현재 양배추 농장 및 포도밭에서 주로 사용되며 카메라가 연결된 로봇이 3D 지도를 생성해 작업에 이용하고 있다.

비전 로보틱스의 로봇은 한 시간에 2~3 에이커 규모의 농경지 작업이 가능하며 운영 비용은 1 에이커에 $30으로 매우 저렴한 편이다.

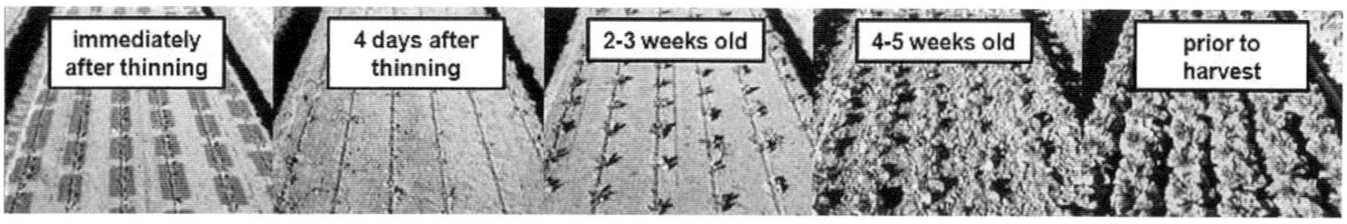

[그림 64] 비전 로보틱스(Vision Robotics)의 농업용 로봇의 작업 결과

루 리버 테크놀로지(Blue River Technology)는 잡초 제거용 씨드 앤 스프레이 로봇(See & Spray robot) 개발해 판매 중이다. 잡초 제거를 위해 매년 250억 달러의 비용을 들여 30억 파운드의 제초제가 사용되는데 제초제에 내성을 가진 잡초들이 생겨나면서 효과가 줄어드는 가운데 씨드 앤 스프레이 로봇은 제초제 사용량의 90% 줄이면서 잡초 제거가 가능하다.

이 로봇은 인간의 눈과 유사한 지능형 카메라가 경작지에서 잡초를 식별한 후 로보틱 노즐이 잡초에만 정확히 제조제를 도포한다.

[그림 65] 씨드 앤 스프레이 로봇(See & Spray robot)의 작업 모습

얼스센스(EarthSense)사에서 개발한 테라센샤 로봇(TerraSentia)은 머신비전, 머신러닝 기술을 기반으로 데이터를 수집, 분석함으로써 수확의 질, 정확도, 비용을 개선했다. 테라센샤는 경작지를 자유롭게 이동하며 병충해 감염 여부, 스트레스 반응 등 경작물에 대한 다양한 데이터를 수집해 운영자에게 보고한다.

[그림 66] 테라센샤(TerraSentia) 로봇과 플랫폼

나) 일본[17][18]

일본 국내 전통 농업 종사자수는 지난 2016년 158만6,000명으로 역대 최저치를 기록했다. 평균연령은 68.8세로 고령화가 지속되고 있다. 또한 일본 국내 농업용 경지면적은 2015년에는 450만ha로 줄어들었으며, 총 생산액은 8조7,900억 엔으로 1985년 10조 2,700억 엔보다 1조 4,800억 엔이 감소했다.

이러한 일본 농업 업계의 전반적인 규모 감소 추세의 원인으로는 농업 종사자의 고령화와 후계자 부재로 인한 일손부족, 상대적으로 저렴한 수입 농산물과의 경쟁 심화와 소득 감소 등이 꼽히고 있다.

일본 정부는 어려움에 처해있는 일본 농업업계의 문제를 해결하고 향후 성장산업으로 발전시키기 위해 ICT, IoT, 로봇기술을 이용한 '스마트 농업'을 추진 중이다. 농업의 기계화, 자동화로 노동력과 비용을 절감하고 고도 재배기술 개발과 재배규모를 대형화를 통해 효율을 높임으로써 자국 농산물의 경쟁력을 확보해 나아가서는 대외수출 증대까지의 목표를 설정하고 있다.

일본의 스마트농업 주요 기술

기술명	정의
재배지원 솔루션 - 복합환경 제어장치	대기온도, 하우스 내 온도, 습도, 일사량, CO2 농도 등을 측정해 각각 최적의 상태로 조정하기 위해 냉방장치 및 보온커튼, 환기 및 차광을 자동 제어하는 것

자료출처 : 일본야노경제연구소 '스마트농업에 관한 조사결과 2017'

[그림 67] 일본의 스마트농업 주요 기술

일본 정부가 직접 나서서 민관합동 및 연구기관의 제휴로 스마트 농업의 개발 및 실용화를 적극적으로 추진하고 있는 가운데 이를 미래 비즈니스 기회로 여기고 있으며, 다양한 타 업종의 기업 진출이 증가함으로써 기술개발과 보급이 급속도로 이루어지고 있다. 이에 따라 매년 관련 시장규모가 성장을 거듭하고 있으며, 관련 전문가는 오는 2023년에는 약 333억엔 규모로 확대될 것이라고 내다봤다.

17) [해외시장동향] ② 일본 - '스마트 농업'으로 농촌인력 감소 · 고령화 해결책 찾다, 이재학, 한국농기계신문, 2018.02.28
18) [유망]일본 스마트 농업 시장동향, 임지훈, KOTRA, 2018.01.12

그동안 기업의 농업진출은 농작물을 안정적으로 조달하고자 하는 식품업체나 공공사업의 감소에 따른 건설업체들이 경영 다각화의 방책으로 이뤄진 경우가 많았다.

그러나 최근에는 소매업, 제조업, IT, 금융, 운수업 등 다양한 업계가 ICT, 로봇 기술을 농업에 응요하는 형태로 발전하고 있다. 제품을 살펴보면 인터넷을 통해 PC와 스마트폰으로 재배시설을 연계해 장비 조적 및 데이터 수집, 관리가 가능한 농업용 클라우드가 식물 공장을 중심으로 빠르게 보급되고 있다.

일본의 농업용 클라우드 서비스를 제공하는 주요 기업

기업명	서비스명	상세내용
FUJITSU	Akisai	농지 재배, 시설 원예, 축산 분야의 경영, 생산, 판매까지 기업적 농업 경영을 지원. 자사 'Akisai농장'에서 실제 검증을 거치며 개발 중. 광범위한 사업 영역을 커버, 제공 서비스 내용도 업계 중 가장 앞서 있음.
TOYOTA	풍작계획	자사의 자동차 제조관리 노하우를 농업에 응용. 농사 계획을 자동 작성, 진척 상황을 관리하는 시스템. 작업 데이터와 수확한 작물의 수량 및 품질 데이터를 축적 및 분석함으로써 비용을 절감하고 품질 좋은 쌀을 생산하는 것이 주요 목적
KUBOTA	KSAS (Kubota Smart Agricultural System)	주로 벼 농사 농가를 대상. 센서를 탑재한 자사 콤바인과 연동해 수확시기에 쌀 맛의 기준이 되는 단백질과 수분의 함유량을 자동 측정

자료출처 : Toray 경제연구소 산업경제조사부문 '기대 되는 스마트 농업의 신전개 2016', KOTRA 나고야 무역관 편집

최근 일본의 스마트 농업 관련 제품을 살펴보면 인터넷을 통해 PC와 스마트폰으로 재배시설을 연계해 장비 조작 및 데이터 수집, 관리가 가능한 농업용 클라우드가 식물 공장을 중심으로 빠르게 보급되고 있다.

또한 GPS 기능을 탑재한 농기계, 무인주행이 가능한 농기계의 실용화가 진행되고 있으며 포장(圃場) 정보의 수집과 파종, 농약과 비료 살포 등에 사용할 농업용 드론, 센서로 수확 적기의 농작물을 선별 수확하는 수확용 로봇의 보급도 기대를 모으고 있다.

이처럼 GPS 기능을 탑재한 농기계, 무인주행이 가능한 농기계의 실용화가 진행되고 있으며 포장 정보의 수집과 파종, 농약과 비료 살포 등에 사용할 농업용 드론, 센서로 수확 적기의 농작물 선별 수확하는 수확용 로봇의 보급도 기대를 모으고 있다.

농업 클라우드 기술 부문에서는 ICT기술과 통신 네트워크 기술을 활용해 정보 통신, 전기 관련 기업이 독자적인 클라우드 서비스를 제공한다. 대규모 농가를 중심으로 도입이 진행되고 있으며 농작물 생산 관련 기능 이외에 유통, 판매관리 등 농장 경영에 관한 전반적인 활동을 지원하는 곳도 있다.

이러한 기업 이외에 자동차 관련 업체 등 타 업종 기업이나 벤처 기업 등도 농업 클라우드 비즈니스 분야에 적극적으로 뛰어 들고 있다.

도요타 자동차가 자동차 생산 관리 방법이나 공정 개선 노하우를 농업 분야에 응용, 농사의 효율화 및 작업 비용의 가시화, 개선점 파악을 목적으러 개발한 농업 IT를 '풍작 계획'이 그 예다.

기술명	정의
재배지원 솔루션 - 농업 클라우드	농업에 관련된 데이터 수집해 인터넷상에서 관리해 생산성을 향상시키는 시스템
재배지원 솔루션 - 복합환경 제어장치	대기 온도, 하우스 내 온도, 습도, 일사량, CO2 농도 등을 측정해 각각 최적의 상태로 조정하기 위해 냉방장치 및 보온커튼, 환기 및 차광을 자동 제어하는 것
재배지원 솔루션 - 축산용 생산지원 솔루션	축산업의 생산비용 절감을 위해 정보통신기술(ICT)를 활용한 계획적 가축번식으로 경영 효율화를 실현하는 솔루션
판매지원 솔루션	① 생산자 및 JA(Japan Agricultural Cooperatives)와 식품 관련 사업자를 연결해 농작물을 조달하는 식품 관련 사업자의 4정[정량, 정시기, 정품질, 정가격]을 실현하는 솔루션 ② 생산자와 JA의 직원을 연결, ICT를 이용해 관리업무를 경감하는 솔루션
경영지원 솔루션	① 회계소프트나 및 농업생산법인의 회계업무를 ICT로 지원하는 솔루션 ② 기상데이터나 과거의 기상정보를 토대로 수확시기 및 수확량을 예측해, 병해충 등의 피해를 사전에 파악할 수 있는 솔루션

[표 17] 일본의 스마트농업 주요 기술

기술명	정의
정밀 농업 - GPS 가이던스 시스템	GPS기능에 의해 트랙터의 위치를 측정해 주행경로를 표시하는 장치
정밀 농업 - 자동조타장치	GPS가이던스시스템에 의해 표시된 주행경로에 따라 트랙터를 자동으로 조종하는 장치(무인주행은 아님)
정밀 농업 - 차량형 로봇시스템	GPS수신기, 로봇컨트롤러, 센서 등을 트랙터, 이앙기, 콤바인 등의 농기구에 설치해 여러 대의 농기구에 의한 협조작업 및 농기구의 완전무인운전을 실현하는 시스템
농업용 로봇	설비형 로봇(접목 로봇 등), 머니퓰레이터형 로봇(수확 로봇 등), 작업 어시스트형 로봇(파워어시스트슈트 등)

[표 18] 일본의 스마트농업 주요 기술

기업명	서비스명	상세 내용
FUJITSU	Akisai	- 농지 재배, 시설 원예, 축산 분야의 경영, 생산, 판매까지 기업적 농업 경영을 지원. 자사 'Akisai농장'에서 실제 검증을 거치며 개발 중. 광범위한 사업 영역을 커버, 제공 서비스 내용도 업계 중 가장 앞서 있음.
TOYOTA	풍작 계획	- 자사의 자동차 제조관리 노하우를 농업에 응용. 농사 계획을 자동 작성, 진척 상황을 관리하는 시스템. 작업 데이터와 수확한 작물의 수량 및 품질 데이터를 축적·분석함으로써 비용을 절감하고 품질 좋은 쌀을 생산하는 것이 주요 목적임.
DENSO	Profarm	- 차량 탑재용, 가정용 에어컨 시스템 기술과 공장용 제어 기술을 응용, 농업 하우스용 환경 제어 시스템을 개발. 하우스 내의 온도, 습도, CO2농도를 최적 상태에 자동 제어하고 광합성을 촉진함.
NTT DOCOMO	PaddyWatch	- 니이가타시 농업 벤처기업인vegetalia, water-cell과 공동으로 대규모 벼 농사 농가에 논 농사용 센서와 연동한 클라우드 시스템의 실용 실험을 실시. 논의 수온과 수위의 데이터를 스마트 폰 등에서 원격 감시 가능

[표 19] 일본의 농업용 클라우드 서비스를 제공하는 주요 기업

기업명	서비스명	상세 내용
Hitachi Solutions East Japan	AgriSUITE	- 농업 생산과 판매의 정보를 웹상에서 일괄 관리시스템을 구축, 생산·물류·판매, 제조·가공 분야를 연계해 정보를 공유. 적절한 타이밍에 생산 상황, 판매 전망, 출하 상황을 서로 파악하고 수요와 연동해 생산 계획을 세움.
Kubota	KSAS (Kubota Smart Agricultural System)	- 주로 벼 농사 농가를 대상. 센서를 탑재한 자사 콤바인과 연동해 수확시기에 쌀 맛의 기준이 되는 단백질과 수분의 함유량을 자동 측정
PS Solutions	e-kakashi	- 히타치 제작소와 공동 개발. 농작물 재배 데이터를 가시화하고 재배 방법을 제공. 2015년 10월 판매 개시
Farmnote	Farmnote	- 낙농·축산용의 데이터 관리 클라우드 시스템. 작업일지 대신 현장에서 스마트 폰 등에 가축의 개체별로 성장 기록을 입력, 정보를 공유. 발정·분만 예정이나 개체 유량을 일괄 관리. 현재, 소의 개체 정보를 수집하는 가축용 웨어러블 기기를 개발 중

[표 20] 일본의 농업용 클라우드 서비스를 제공하는 주요 기업

다. 농업 로봇 시장 동향

1) 해외 동향

전 세계 농업용 로봇 시장은 2017년 41억 3,000만 달러에서 연평균 성장률 20.71%로 증가하였고, 2022년에는 128억 달러에 이를 것으로 전망된다.

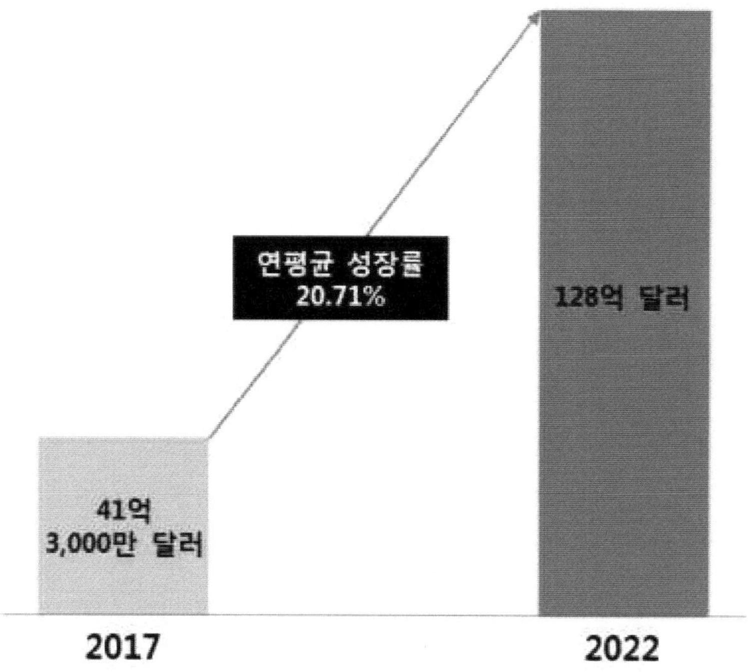

[그림 69] 글로벌 농업용 로봇 시장 규모 및 전망

전 세계 농업용 로봇 시장은 제공 부문에 따라 하드웨어 부분, 소프트웨어 부분, 서비스 부문으로 분류할 수 있다. 하드웨어 부분은 2017년 27억 4,110만 달러에서 연평균 성장률 19.47%로 증가하여, 2022년에는 79억 6,870만 달러에 이를 것으로 전망된다.

소프트웨어 부문은 2017년 7억 9,200만 달러에서 연평균 성장률 22.18%로 증가하여, 2022년에는 26억 3,490만 달러에 이를 것으로 전망되며, 서비스 부문은 2017년 6억 130만 달러에서 연평균 성장률 24.01%로 증가하여, 2022년에는 21억 8,720만 달러에 이를 것으로 전망된다.

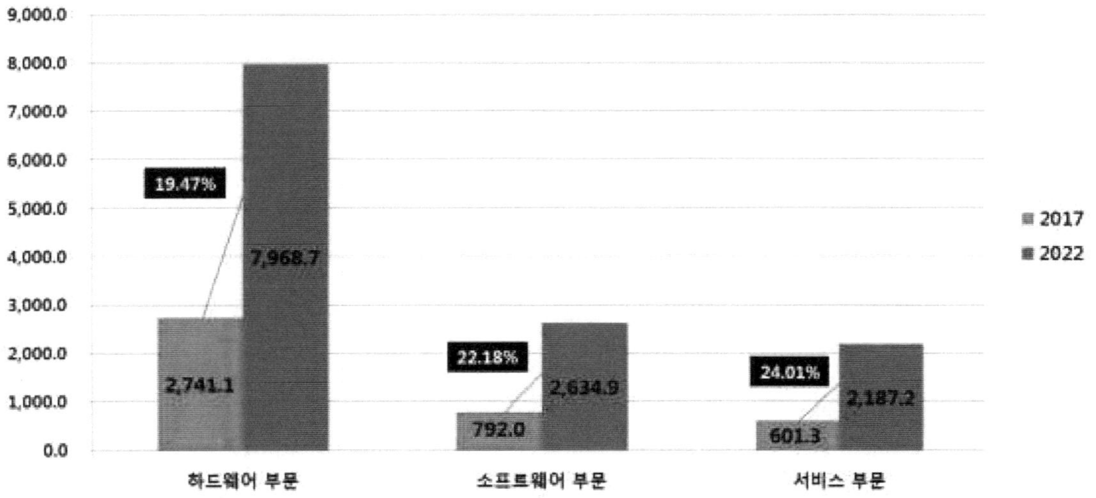

[그림 70] 글로벌 농업용 로봇 시장의 제공 부문별 시장 규모 및 전망(단위 : 백만 달러)

전 세계 농업용 로봇 시장에서 하드웨어 부문은 종류에 따라 자동화&제어 시스템과 센싱&모니터링 장치로 분류된다.

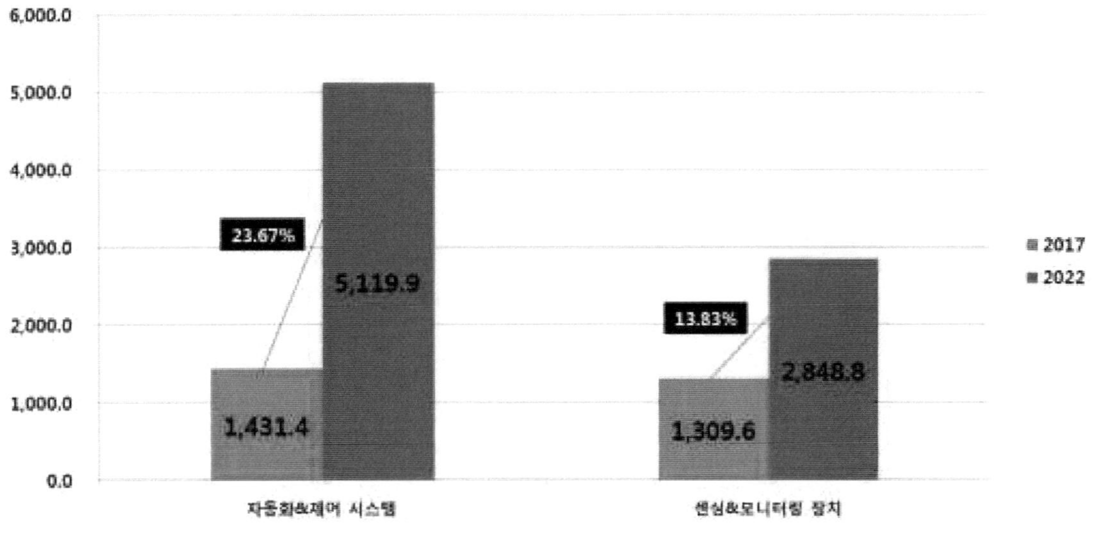

[그림 71] 글로벌 농업용 로봇 시장의 하드웨어 종류별 시장 규모 및 전망 (단위: 백만 달러)

자동화&제어 시스템은 2017년 14억 3,140만 달러에서 연평균 성장률 23.67%로 증가하여, 2022년에는 51억 1,990만 달러에 이를 것으로 전망된다. 센싱&모니터링 장치는 2017년 13억 960만 달러에서 연평균 성장률 13.83%로 증가하여, 2022년에는 28억 4,880만 달러에 이를 것으로 전망된다.

전 세계 농업용 로봇 시장에서 소프트웨어 부문은 전개 종류에 따라 로컬/웹 기반과 클라우드 기반으로 분류된다. 로컬/웹 기반은 2017년 5억 1,630만 달러에서 연평균 성장률 17.70%로 증가하여, 2022년에는 13억 7,230만 달러에 이를 것으로 전망되며, 클라우드 기반은 2017년 2억 7,570만 달러에서 연평균 성장률 28.87%로 증가하여, 2022년에는 12억 6,260만 달러에 이를 것으로 전망된다.

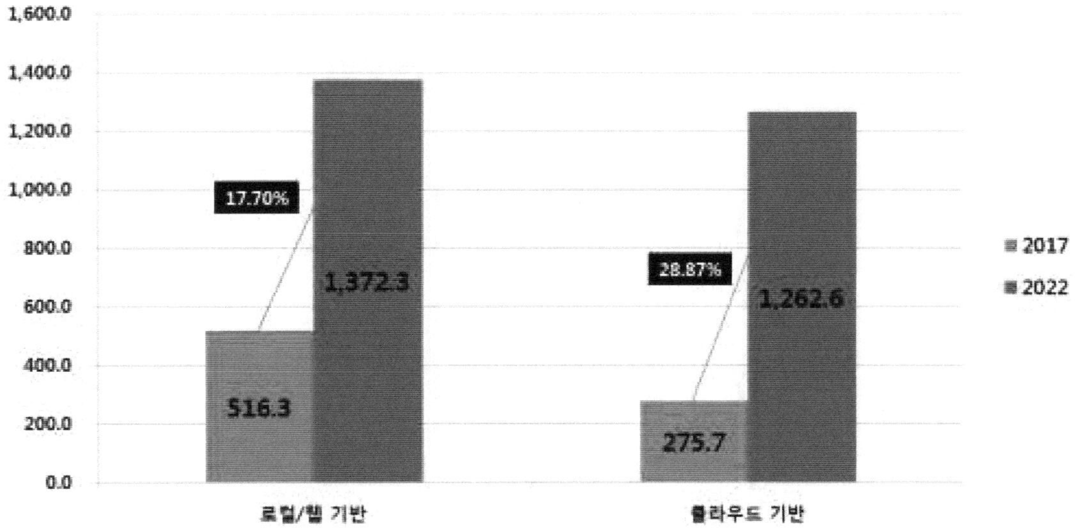

[그림 72] 글로벌 농업용 로봇 시장의 소프트웨어 전개 종류별 시장 규모 및 전망
(단위: 백만 달러)

전 세계 농업용 로봇 시장에서 서비스 부문은 종류에 따라 시스템 통합&컨설팅, 관리 서비스, 연결 서비스, 전문 서비스, 유지보수&지원으로 분류된다. 시스템 통합&컨설팅 2017년 1억 6,600만 달러에서 연평균 성장률 24.97%로 증가하여, 2022년에는 6억 3,210만 달러에 이를 것으로 전망되며, 관리 서비스는 2017년 1억 4,520만 달러에서 연평균 성장률 22.92%로 증가하여, 2022년에는 5억 90만 달러에 이를 것으로 전망된다. 연결 서비스는 2017년 1억 1,880만 달러에서 연평균 성장률 25.17%로 증가하여, 2022년에는 4억 5,710만 달러에 이를 것으로 전망된다.

보조 전문 서비스는 2017년 1억 3,340만 달러에서 연평균 성장률 24.35%로 증가하여, 2022년에는 4억 9,340만 달러에 이를 것으로 전망되며, 유지보수&지원은 2017년 3,790만 달러에서 연평균 성장률 18.28%로 증가하여, 2022년에는 1억 370만 달러에 이를 것으로 전망된다.

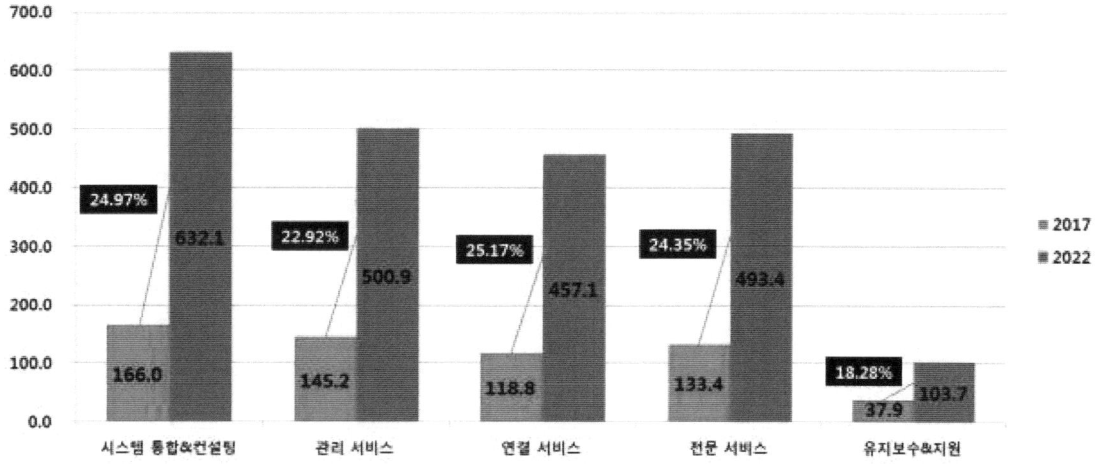

[그림 73] 글로벌 농업용 로봇 시장의 서비스 종류별 시장 규모 및 전망 (단위: 백만 달러)

전 세계 농업용 로봇 시장은 종류에 따라 무인항공기(UAV)/드론, 착유 로봇, 자동 수확 시스템, 무인 트랙터, 기타 로봇으로 분류된다. 무인항공기(UAV)/드론은 2017년 14억 2,150만 달러에서 연평균 성장률 19.83%로 증가하여, 2022년에는 42억 900만 달러에 이를 것으로 전망된다.

착유 로봇은 2017년 11억 4,780만 달러에서 연평균 성장률 9.92%로 증가하여, 2022년에는 20억 2,410만 달러에 이를 것으로 전망되며, 자동 수확 시스템은 2017년 7억 6,490만 달러에서 연평균 성장률 24.43%로 증가하여, 2022년에는 28억 3,910만 달러에 이를 것으로 전망된다. 무인 트랙터는 2017년 1억 8,000만 달러에서 연평균 성장률 46.78%로 증가하여, 2022년에는 18억 달러에 이를 것으로 전망된다. 기타 로봇은 2017년 6억 2,020만 달러에서 연평균 성장률 18.56%로 증가하여, 2022년에는 19억 1,860만 달러에 이를 것으로 전망된다.

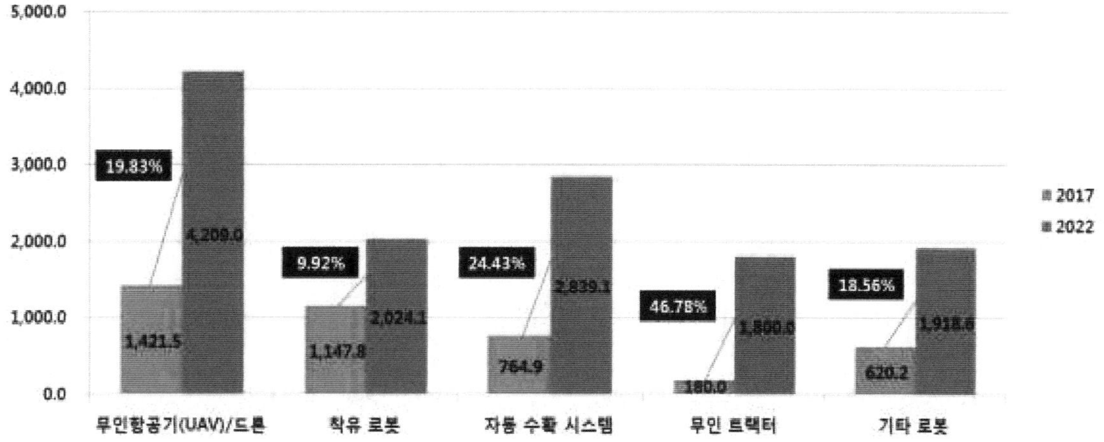

[그림 74] 글로벌 농업용 로봇 시장의 종류별 시장 규모 및 전망 (단위: 백만 달러)

전 세계 농업용 로봇 시장은 용도에 따라 수확 관리용, 밭농사용, 낙농장 관리용, 토양 관리용, 관개 관리용, 가지치기 관리용, 날씨 추적&모니터링용, 재고 관리용, 기타용으로 분류된다.

수확 관리용은 2017년 12억 3,340만 달러에서 연평균 성장률 20.07%로 증가하여, 2022년에는 36억 9,650만 달러에 이를 것으로 전망되며, 밭농사용은 2017년 6억 2,020만 달러에서 연평균 성장률 22.64%로 증가하여, 2022년에는 21억 1,050만 달러에 이를 것으로 전망된다.

낙농장 관리용은 2017년 9억 3,800만 달러에서 연평균 성장률 19.73%로 증가하여, 2022년에는 27억 6,280만 달러에 이를 것으로 전망되며, 토양 관리용은 2017년 4억 6,330만 달러에서 연평균 성장률 24.67%로 증가하여, 2022년에는 17억 3,960만 달러에 이를 것으로 전망된다.

관개 관리용은 2억 4,520만 달러에서 연평균 성장률 17.32%로 증가하여, 2022년에는 6억 3,950만 달러에 이를 것으로 전망되며, 가지치기 관리용은 2017년 2억 1,820만 달러에서 연평균 성장률 19.23%로 증가하여, 2022년에는 6억 2,680만 달러에 이를 것으로 전망된다.

날씨 추적&모니터링용은 2017년 9,960만 달러에서 연평균 성장률 19.78%로 증가하여, 2022년에는 2억 9,420만 달러에 이를 것으로 전망되며, 재고 관리용은 2017년 1억 280만 달러에서 연평균 성장률 21.61%로 증가하여, 2022년에는 3억 3,260만 달러에 이를 것으로 전망된다. 기타용은 2017년 2억 1,360만 달러에서 연평균 성장률 18.40%로 증가하여, 2022년에는 5억 8,840만 달러에 이를 것으로 전망된다.

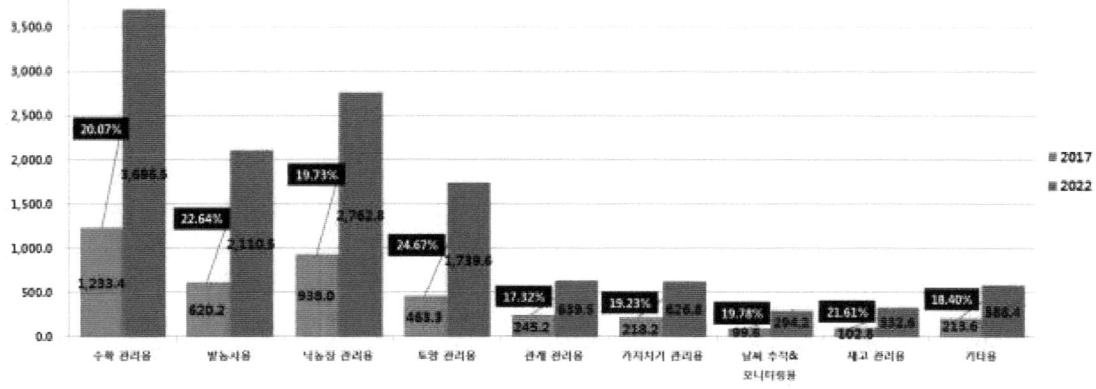

[그림 75] 글로벌 농업용 로봇 시장의 용도별 시장 규모 및 전망 (단위: 백만 달러)

전 세계 농업용 로봇 시장을 지역별로 살펴보면, 2016년을 기준으로 미주 지역이 52.64%로 가장 높은 점유율을 나타냈다. 미주 지역은 2017년 20억 9,320만 달러에서 연평균 성장률 16.67%로 증가하여, 2022년에는 52억 7,890만 달러에 이를 것으로 전망된다.

유럽 지역은 2017년 10억 7,680만 달러에서 연평균 성장률 22.52%로 증가하여, 2022년에는 36억 4,190만 달러에 이를 것으로 전망되며, 아시아-태평양 지역은 2017년 6억 7,200만 달러에서 연평균 성장률 27.79%로 증가하여, 2022년에는 29억 2,670만 달러에 이를 것으로 전망된다.

그 외 지역은 2017년 2억 9,230만 달러에서 연평균 성장률 21.56%로 증가하여, 2022년에는 9억 4,320만 달러에 이를 것으로 전망된다.

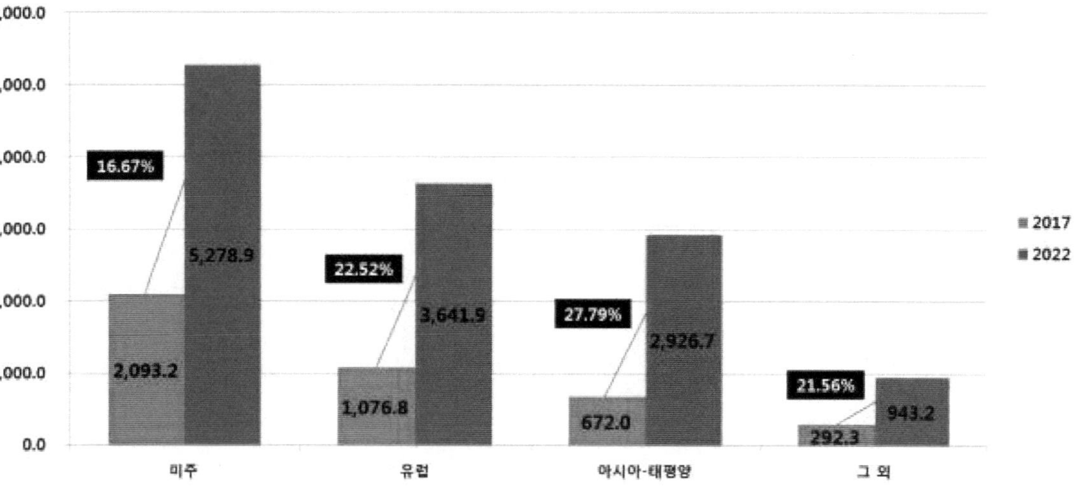

[그림 76] 글로벌 농업용 로봇 시장의 지역별 시장 규모 및 전망 (단위: 백만 달러)

2) 국내 동향

우리나라의 농업용 로봇 시장은 2017년 5,050만 달러에서 연평균 성장률 30.46%로 증가하여, 2022년에는 2억 4,880만 달러에 이를 것으로 전망된다.

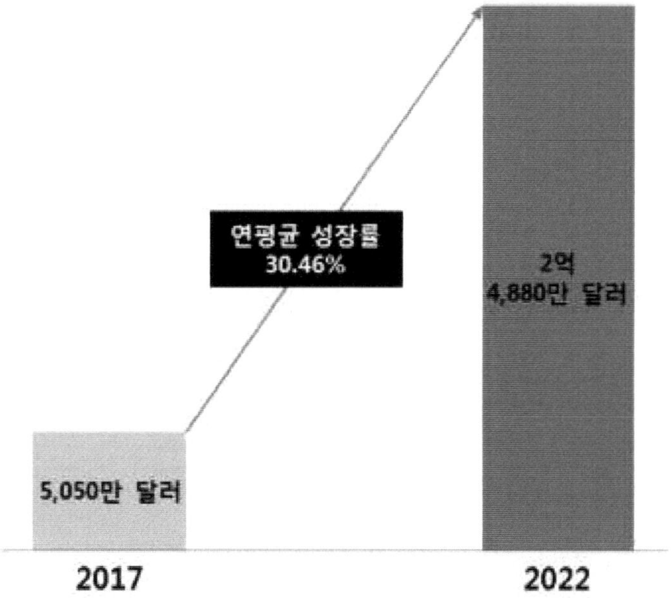

[그림 77] 우리나라의 농업용 로봇 시장 규모 및 전망

06. 의료서비스 로봇

6. 의료서비스 로봇[19)]

가. 의료서비스 로봇 개요

의료서비스 로봇(Medical Service Robot)의 정의와 분류는 연구자에 따라 다양할 수 있으며, 국내에서는 관계부처 및 로봇협회에서도 지속적으로 논의 중인 사항으로 아직까지 명확한 기준은 제시되지 않았다.

의료서비스 로봇의 범위는 해외의 경우 시장의 크기, 수요를 고려하여 수술, 재활, 간호, 안내, 물류 등 핵심 기술 중심의 분류 체계를 적용하고 있으며, 국내의 경우 정확한 정의는 없으나 돌봄, 간호 등의 서비스행위 중심의 포괄적 범위로 접근하고 있다.

구분	개념
식품의약품안전평가원(2014)	기기와 환자의 상호작용이 있는 로봇
식품의약품안전처(2015)	로봇기술을 사용하는 의료용 기기 또는 시스템
지능형로봇표준포럼 의료로봇분과 위원회(2017)	의료기기로 사용하기 위한 로봇 또는 로봇장치

[표 21] 의료서비스 로봇 정의

한국과학기술기획평가원에서는 관련 문헌연구 및 전문가 자문을 통해 용어를 정의하고, 의료서비스행위의 목적 중심의 분류 체계를 설정했다. 이를 기준으로 살펴본 의료서비스 로봇은 의료 현장의 다양한 분야에 의료 목적의 고품질 서비스 행위를 인간을 대신하여 수행하는 로봇으로 정의하고, 기존의 의료기기(Medical Device) 또는 의료로봇(Medical Robot)보다 서비스로의 범위를 확장시켜 분류체계 설정했다.

수술로봇은 수술의 전 과정 또는 일부를 의사 대신 또는 함께 보조하는 기술로, 재활로봇은 환자/노약자/장애인 등의 치료/보조/돌봄 및 간호/간병하는 기술로, 보조서비스로봇은 사물을 대상으로 하는 의료 서비스행위인 물류 및 약재제조와, 원격진료 및 훈련을 통한 안전/호환성/성능/표준화 평가 기술로 정의되었다.

19) 의료서비스 로봇, 유형정, 도지훈, 한국과학기술기획평가원, 2019

행위목적	수혜자	운영자	장소	범위	정의
수술	환자	의사	의료시설	수술/수술보조 로봇	침습[20]/비침습 수술의 전 과정 또는 일부를 의사 대신 또는 함께 작업 (영상가이드, 정밀 시술 등)
				신체삽입형 로봇	혈관, 경구 등을 통해 병소에 직접 다가가는 미소 크기의 로봇
재활	노약자, 장애인	간병/간호인/환자	복지시설, 가정	재활치료로봇	상/하지 재활치료 (웨어러블 기기)
				재활보조로봇	이동, 파지 등 일상 생활보조용 휠체어로봇, 웨어러블 보행기 등
				간병로봇	간호/간병/돌봄, 의료 목적의 정서적/사회적 기능 및 다양한 피드백 행위를 제공
보조 서비스	사물, 환자, 의사, 약사	의사, 약사, 간호/간병인	의료/복지/연구시설	물류로봇	지능형 배송 및 운반
				약재처리	클린 멸균, 항암약조제 등
				원격진료	원격으로 의사의 진료/상담 및 처방 등 행위를 대신 수행하는 로봇
				연습/평가	가상 그래픽, 햅틱[21] 장치 등을 활용한 훈련 또는 안전/호환성/성능/표준화 평가

[표 22] 의료서비스 로봇 기술의 범위

20) 기구가 피부를 뚫고 들어가며 발생하는 생체에 대한 상해
21) 가상공간에서 촉감을 느낄 수 있게 하는 것

나. 의료서비스 로봇 기술 동향

1) 해외 동향

가) 수술 로봇

현재 수술로봇은 인간의 한계를 넘어서는 고정밀도·고난이도의 기술이 요구되어 자동화, 스마트화, 최소침습 관련 기술이 개발되고 있다.

(1) 미국

미국의 경우 다빈치(da Vinch) 수술로봇을 선두로 수술상처가 여러 곳인 멀티 포트(multi port) 방식에서 하나인 단일 포트(single port)위주의 기술이 개발되고 있으며, 최소침습[22] 및 마이크로 수술을 위한 초소형 신체삽입형 로봇연구도 수행되고 있다.

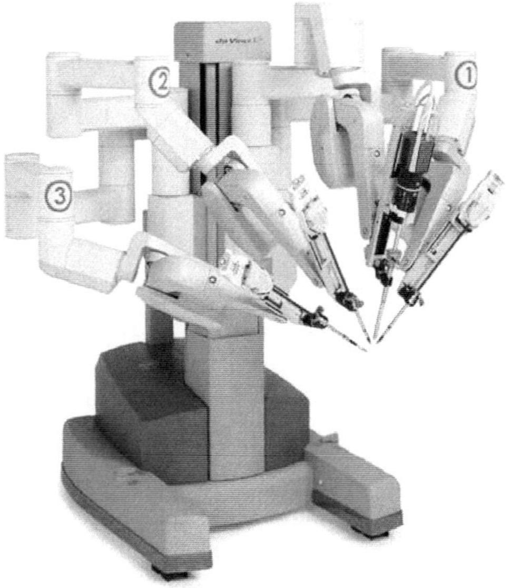

[그림 79] 다빈치 로봇

미국에서는 인튜이티브서지컬(Intuitive Surgical)사의 다빈치 수술로봇을 이용한 수술이 '00년에 FDA에 의해 처음 승인된 이후, 미국에서 시행되고 있는 수술의 약 82%가 로봇 수술을 통해 진행되고 있다.

특히 다빈치 복강경 수술 로봇은 서전 콘솔(로봇팔 및 내시경), 페이션트 카트(멀티 로봇 보조 장치) 및 비전 시스템(모니터) 3개로 구성되어 있으며, 2,501개의 미국 병원이 한 개 이상의 시스템을 보유하고 있다.

---

22) 개복과 같은 큰 절개 없이 주사바늘 정도의 최소 절개만으로 시술 통로를 확보한 뒤 영상을 보면서 미세한 수술 도구를 이용해 치료하는 시술

미국 메드트로닉 PLC(public limited company)사는 17억 달러(약 2조원) 규모의 ‘마조 로보틱스(Mazor Robotics)’를 인수한 이후 2018년 12월에 ‘마조X 스텔스 척추 수술 시스템’을 출시했다.

[그림 80] 메드트로닉

마조X 스텔스는 마조 로보틱스의 로봇 유도 시스템 기술과 메드트로닉의 스텔스스테이션(StealthStation) 외과용 탐색 기술을 결합하여 매출을 성장시킬 것으로 기대되고 있다.

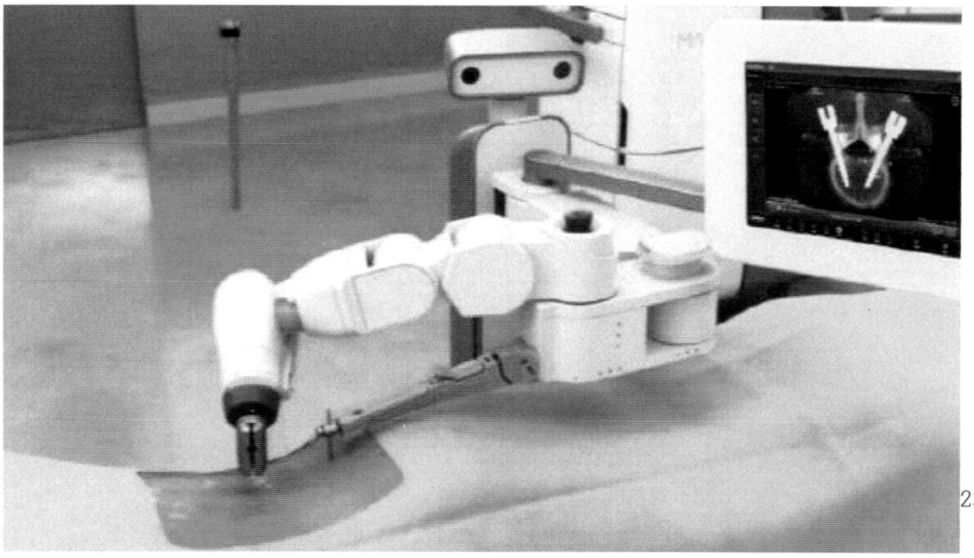
[23]

[그림 81] 마조X 스텔스

또한, 메드트로닉 PLC는 칼 스토즈(Karl Storz) SE&Co사와 제휴하여 3차원 비전 시스템과 선도적인 3D 시각화 기술을 수술로봇 시스템에 통합하는 계획을 발표했으며, 이를 선보일 예정이다.

23) 로봇신문사

(2) 독일

독일은 수술 로봇이 투입되어야 하는 목표점에 신속·정확하게 도달가능하게 하면서 주요 경로 주변에 위치한 위험 조직과 최소 충돌하는 최적경로 연구를 수행하고 있다.

KUKA

[그림 82] KUKA

산업용 로봇 제조사 쿠카(KUKA)는 원격의료로봇을 출시했는데, 쿠카의 원격 운영이 가능한 의료용 로봇 'LBR 메드(Med)'는 2017년 9월 출시되었으며, 7축 다관절 로봇의 관절에 고정밀 토크 센서와 초음파 방출 프로브가 장착되어 있다.

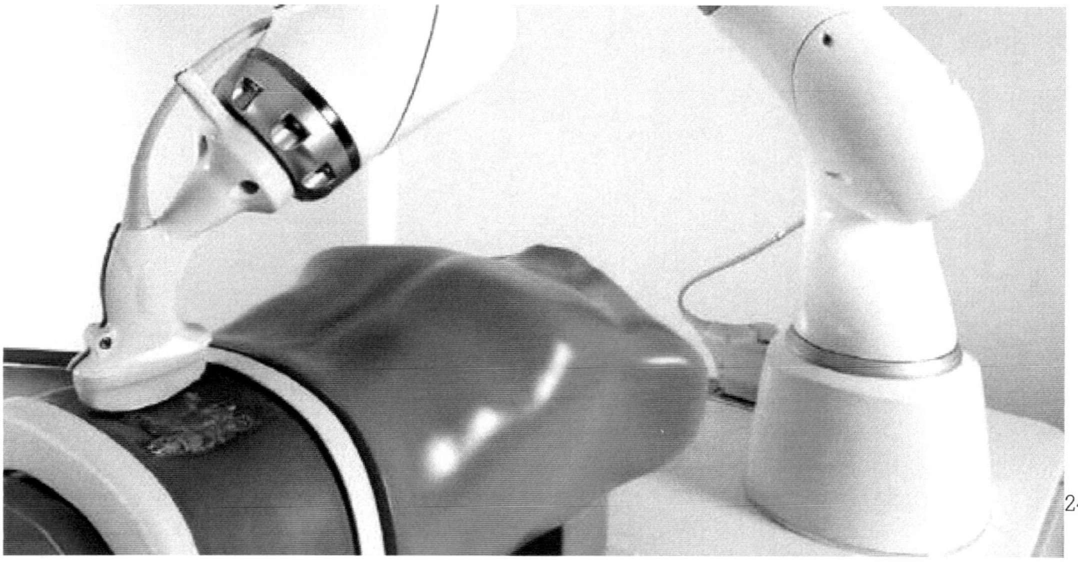
[24]

[그림 83] LBR 메드

LBR 메드는 원격 의료 서비스를 제공하며 다양한 도구를 부착하여, 원격 조작, 밀리미터(mm) 단위 조작 등이 가능하여 내시경, 최소침습 및 심장시술에 활용이 용이하다.

---

24) 로봇신문사

(3) 일본

일본의 동경대 로봇연구그룹은 수술용 로봇의 범용화를 목적으로 조작성능 향상과 의사의 손기술로는 수술이 매우 어려운 초미세 수술기술 개발을 수행하고, 연조직 대응, 경조직 대응 및 혈관내부 치료용 마이크로로로봇 등 3개의 플랫폼을 제안한 바 있다.

산업용 로봇 업체인 가와사키는 2020년 3월 수술 보조 로봇을 출시했고, 의료용 로봇공장 설립을 고려하고 있다. 또한, 가와사키는 테스트 및 진단 장비 제조업체인 시스멕스(Sysmex)와 손잡고 합작사 메디케로이드 (Medicaroid)를 설립하여, 의료·헬스 분야 로봇제품을 개발하고 있다.

(4) 중국

중국은 암 수술이나 안과 질환 등에 군집 나노 로봇을 보내 약을 전달하거나 종양을 제거하는 목적으로 인공 마이크로 군집 로봇을 제어하는 기술을 개발하고 있다.

나) 재활 로봇

재활로봇은 건강관리에 로봇 제어기술이 접목된 생활보조 로봇보다 환자 및 고령자의 치료재활분야 위주의 다양한 기술이 개발되고 있다.

(1) 미국

미국의 경우 미국국립보건원(NIH)을 중심으로 이동 및 생활지원, 신체기능 대체, 재활훈련 등 전 분야에 걸쳐 연구개발이 이루어지고 있으며 다수의 제품의 상용화 연구개발이 함께 수행되고 있다.

INF Robotics Inc.

[그림 84] INF 로보틱스

스타트업인 INF 로보틱스는 노인이나 상이군인을 도와주는 간병 및 원격 의료 로봇을 개발하여 2019년 중 시판했다. INF 로보틱스의 간병용 로봇 '루디'는 급약 시간 안내 및 물류이동, 의사/요양보호사와 원격 의료 상담서비스 기능 및 게임과 같은 친교를 나눌 수 있는 사회적 기능도 제공하고 있다.

[25]

[그림 85] 루디

재활치료 상지재활로봇 회사 IMT(Interactive Motion Technologies Inc.)은 뇌졸중 후유증으로 고생하고 있는 환자들을 대상으로 IMT 재활로봇 훈련을 진행하고 있다.

25) 로봇신문사

(2) 독일

독일은 미리 정해진 궤적을 따라 움직이는 트레드밀 형태 말단 장치[26] 보행재활로봇, 착용형 외골격(exoskeleton) 보행재활로봇, 손/팔 재활용 상지(어깨와 손목 사이 신체부위)훈련로봇, 균형재활장치 등 치료영역에 집중하여 단순화·저렴화 제품을 위한 기술을 지속적으로 개발하고 있다.

독일의 모토메드(MOTOmed), 갈릴레오(Galileo), 레카콤(RehaCom) 등 거동제한 환자들을 돕는 보행기형 로봇을 주로 선보이고 있다. 모토메드에서는 마비환자용 강직치료기를, 갈릴레오에서는 근육감소증 예방치료를 위한 전신교차진동운동치료기구를, 레카콤에서는 전산화 인지재활 평가치료시스템 등의 제품을 판매하고 있다.

(3) 일본

일본의 동경대에서는 수동 휠체어에 낮은 높이의 장애물을 자동으로 넘는 보조 시스템 등 ICT·로봇 기술 등을 융합시켜 안정성·신뢰성을 향상시키는 기술을 발표했다.

일본은 노령 인구와 노인 간호에 대한 필요성이 높아지면서 이를 만족할 수 있는 이동보조·간호 등을 대신할 로봇의 역할에 주목하고 있다.

산업용 로봇 및 서보 모터 업체인 야스카와 전기는 의료 및 재활 분야 사업을 크게 강화할 목적을 가지고 있으며, 발목 움직임이 어렵고 뇌졸중을 겪은 사람들의 상지 재활에 도움이 되는 이동보조로봇 '코코로AAD'와 '코코로AR2'를 판매하고 있다. 또한, 보행 지원 및 상지 재활용 웨어러블 로봇시장을 본격공략하기 위해, 2025년까지 의료 및 간호 분야 100억엔 매출을 목표로 향후 3가지 모델을 추가할 계획이다.

(4) 중국

중국의 경우 외골격 로봇의 단순동작 반복 시 실시간 제어 기술, 3D 프린팅 기술을 이용한 환자 맞춤형 웨어러블 기기 제작 등의 연구를 수행하고 있다.

중국에서는 높은 기술력을 가진 기업의 투자가 확대되고 있는 추세로, 전세계 재활로봇 시장 점유율이 42%로 가장 높다. 2016년 9월 설립된 재활로봇 기업 마일봇(MileBot)은 로봇과 사물인터넷(IoT), 빅데이터 등 기술을 접목하여 스마트 재활 시스템 개발에 주력하고 있다.

---

26) End-effector, 로봇이 작업을 할 수 있도록 기계 접속이 가능한 로봇의 끝부분

마일봇의 반신불수 환자를 위한 외골격 로봇 '베어(BEAR) H1'은 이미 임상 테스트 단계에 도달해 있으며, 인간-기계 인터페이스를 통한 솔루션 창출 계획을 수립하고 있다.

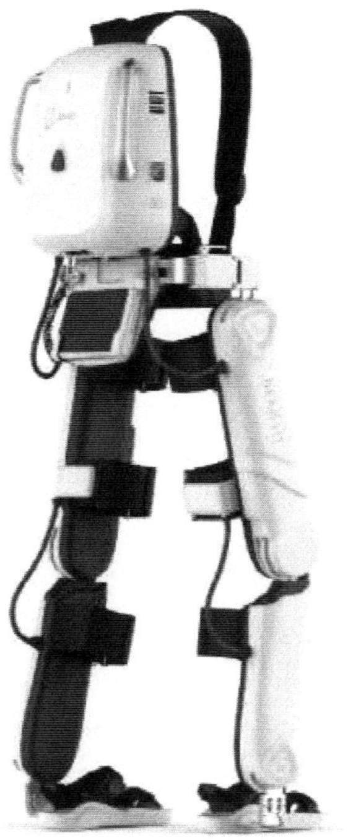 27)

[그림 86] 베어(BEAR) H1

27) 로봇신문사

다) 보조 서비스 로봇

보조 서비스 로봇은 반복적·노동집약적 업무를 위한 물류/약재처리 로봇, 가상 현실 기술 활용 훈련/평가 및 원격진료·진단 기술 등이 개발되었다.

(1) 미국

미국 오쏘 VR(Osso VR)의 VR 수술 훈련 플랫폼에는 공인된 외과 수술 훈련을 위해 4K 해상도/360도 몰입식 가상현실 기술이 활용되고 있다.

28)

[그림 87] 오쏘 VR

미국에서는 조제·물류 등 많은 부분에서 로봇이 활용되고 있으며, 약 조제 로봇은 2015년 기준 병원·약국 조제업무의 97%를 담당하고 있다. 약 조제 로봇은 자동으로 소모 재료를 검측, 정확한 조제 상황을 파악하고 처방상황에 대한 재심사, 처방 정보 업그레이드, 약물 교차 오염 방지 기능을 수행하고 있다.

커비레스터(Kirby Lester)는 처방전을 바코드로 인식한 후 정확·신속하게 약을 조제하여 봉지에 채우면, 약사가 확인 후 밀봉하는 협업형태 로봇이며, 애톤(Aethon)사의 병원용 물류로봇 TUG는 미국 140개 이상의 병원에 도입되어 운영 중이며, 혈액, 약품, 식사, 쓰레기 운반 등 매주 5만건 이상의 운반 업무를 수행하고 있다.

28) "기술이 해법"… 뉴캐슬 의과대학의 VR 기술 활용법, CIO Korea, 2019.04.30

29)

[그림 88] Kirby Lester

30)

[그림 89] TUG

29) kirby Lester 홈페이지
30) Aethon 홈페이지

(2) 일본

일본의 파나소닉 자율운반 로봇 HOSPI-R은 병원 내 물류운반에 이미 적용중이며, 자동문 및 엘리베이터 연동 자율주행, 물품인식, 인간협업 기술을 융합하는 추세이다.

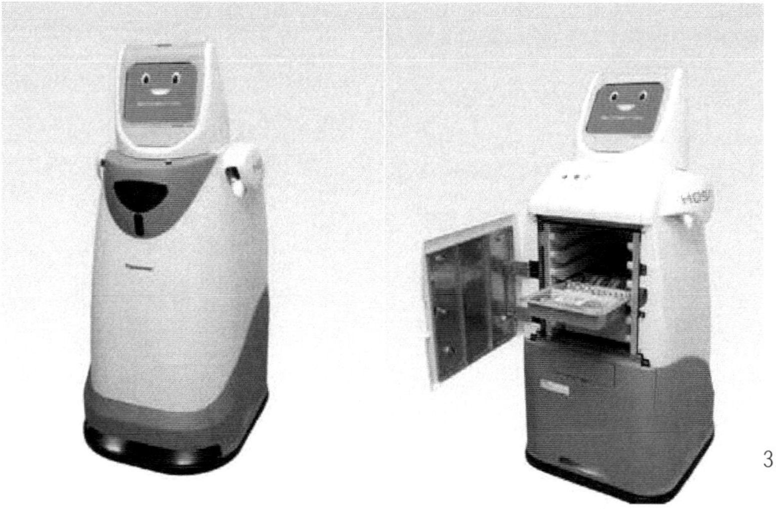
31)

[그림 90] HOSPI-R

(3) 중국

중국은 의약 조제 시간 단축을 위한 의약 클라우드 시스템 및 의약조제 로봇, 환자 상태 실시간 관리를 위한 원격 진료 리빈(Lepion) 로봇 개발 및 병원과 협업연구를 진행하고 있다.

31) HOSPI-R drug delivery robot frees nurses to do more important work, New Atlas, 2013.10.28

2) 국내 동향

가) 수술 로봇

국내 수술롭은 미세부위 수술이 가능한 원격 카테터(Catheter)[32] 기술이 최근 개발되었으며, 신체 삽입이 가능한 의료용 마이크로로봇도 활발히 연구되고 있다.

한국과학기술연구원(KIST)은 미세수술 로봇 '닥터 허준'(Dr. Hujoon)을 개발하여 수차례 전임상 동물 실험을 성공시켰으며, 고도화 및 안정화시킨 로봇 시스템으로 사체(카데바)를 이용한 전임상 시험에 성공했다.

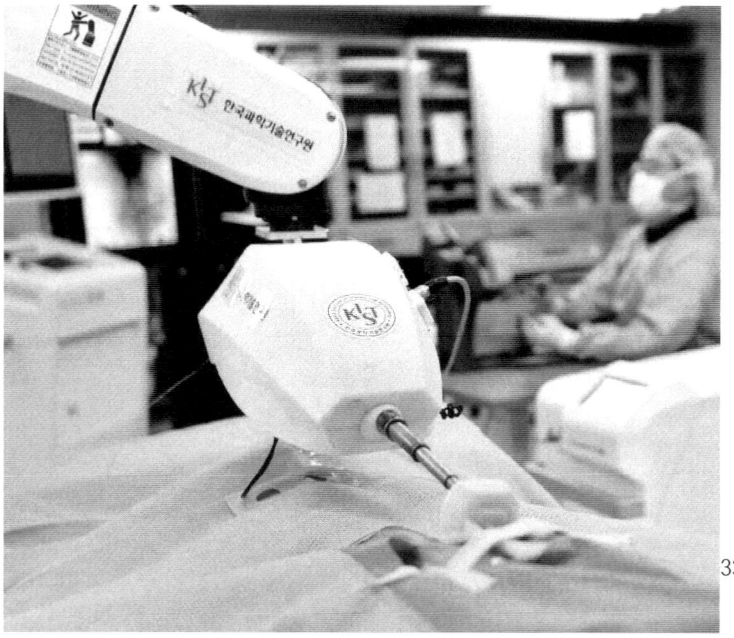

[33]

[그림 91] 닥터 허준

닥터 허준은 로봇 팔에 장착된 직경 3mm 카테터를 6 자유도(Degree of Freedom, DOF) 햅틱 마스터 장치를 사용한 원격 구동으로 경막 외 공간 내에 삽입 및 조향하는 로봇 시스템으로, 시술 중 2차원 영상을 카테터의 3차원 위치로 계산해 집도의에게 제공하는 가상현실(VR) 내비게이션 시스템도 구현되어 있다.

신체삽입이 가능한 마이크로의료로봇 분야는 한국이 가장 활발히 연구하고 있으며, 미국 FDA인증을 받은 캡슐내시경, 세계최초로 개발된 혈관치료 마이크로로봇, 암 치료용 박테리아 로봇, 이탈리아에 기술 이전된 대장내시경로봇, 최근 미국 스타트업에 기술 이전된 줄기세포마이크로로봇 등이 있다.

32) 신체 삽입 후 내용액의 배출 측정이 가능한 고무 또는 금속제의 가는 관
33) 인공지능 신문

대구경북과학기술원(DGIST)은 다양한 체내외 환경에서 줄기세포를 정밀하게 전달하고 이식할 수 있는 미세전자기계시스템(Micro Electro Mechanical Systems; MEMS) 기술을 이용한 마이크로로봇을 개발했다. 이는 3차원 레이저 리소그라피 공정을 통해 마이크로(1μm=10-6m)사이즈의 초미세 3D 구조물을 구현하고, 외부 무선 자기장을 이용하여 체내에서 구동이 가능하며, 정확한 양의 줄기세포 기반 치료세포를 신체조직 및 장기에 정밀하게 이식할 수 있어 퇴행성 신경계질환 치료 효율과 안전성을 높일 것으로 기대된다.

국내에서는 중소기업 위주의 글로벌 경쟁력 있는 다수 제품들이 개발·판매되었으며, 다양한 제품이 임상시험 및 품목허가 취득을 진행중이다.

CUREXO

[그림 92] 큐렉소

의료로봇 전문기업 큐렉소는 국내 17개병원에서 사용중인 액티브 수술로봇 '로보닥', 그 차기 버전인 인공관절 수술로봇 '티솔루션원'을 출시하였고 척추수술 등 정형외과 용도의 '큐비스 스파인' 및 '큐비스조인트' 로봇 연구개발도 추가로 진행하고 있다.

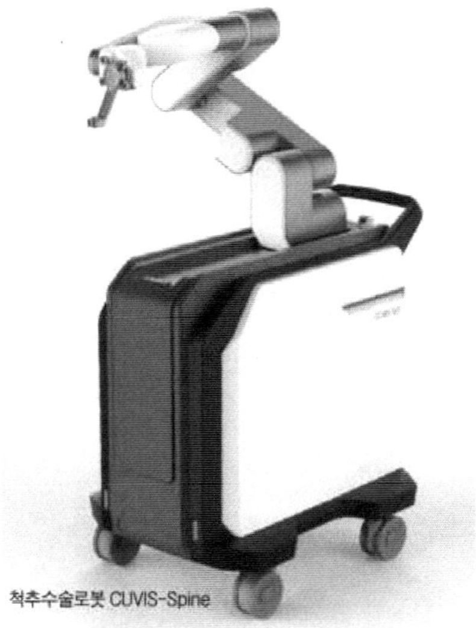

[34]

[그림 93] 큐비스 스파인

34) 큐렉소 홈페이지

기존과 달리 관절 부위에서 완전자동으로 움직이는 티솔루션원은 무릎과 엉덩이 부위 인공관절 전치환술 사용에 허가받았으며, 2019년 5월 무릎관절에 한해 FDA 승인을 신청했다. 또한 큐비스스파인 및 큐비스조인트도 국내 인허가 완료를 목표로 준비하고 있다.

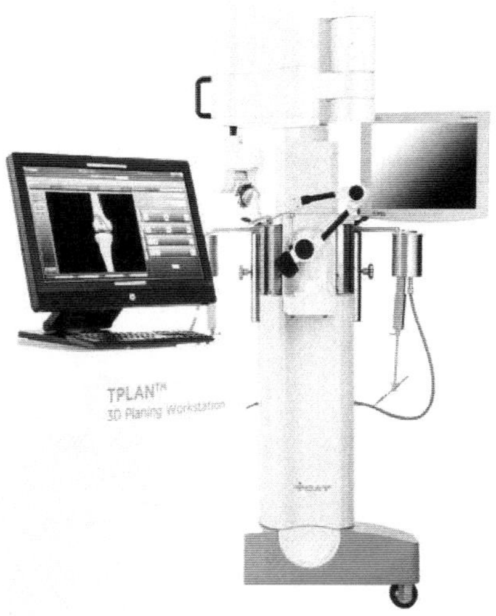

35)

[그림 94] 티솔루션원

디스플레이 제조장비업체인 미래컴퍼니는 2017년 8월 국내 최초로 개발한 복강경 수술로봇 '레보아이 (Revo-i)'의 식약처 허가를 받았다. 레보아이는 환자 몸에 최소한의 절개를 한 후 4개의 로봇 팔을 몸속에 삽입해 의사가 3차원 영상을 보며 절개·절단·봉합 수술이 가능하며, 미국 다빈치에 이어 전 세계에서 두 번째로 내시경수술에 사용할 수 있도록 허가받은 제품이다.

전자장비 및 반도체 검사장비 전문업체인 고영테크놀러지는 2016년 12월 식약처로부터 3D 뇌수술 의료로봇 '제노가이드'의 제조 판매를 허가받았다. 제노가이드는 로봇수술 1회당 가격의 저가(경쟁사 대비 약 42% 저렴)를 내세워 현재 세브란스병원, 삼성의료원 등 국내 주요 종합병원과 미국 하버드대학에서 임상 데이터를 축적하고 있고, 2019년 국내 출시 및 FDA 승인 신청을 받았다.

35) 이코노믹리뷰

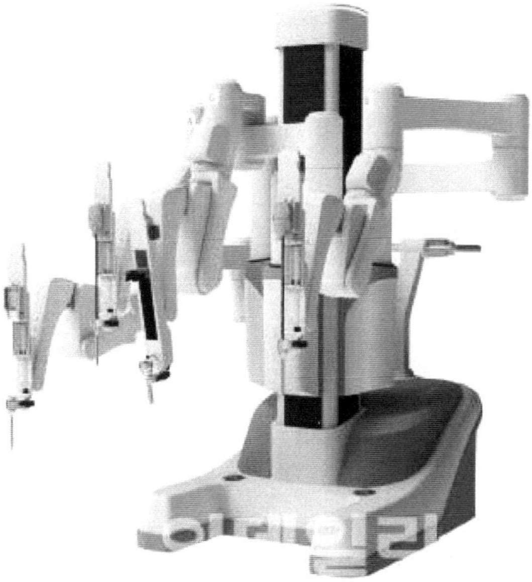

[그림 95] 레보아이

KAIST 교원 창업기업 이지엔도서지컬에서 개발한 유연내시경 수술로봇 케이플렉스(K-FLEX)는 2018년 6월 영국에서 개최된 '서지컬 로봇 챌린지'에서 우승을 차지했다. 케이플렉스는 식도, 요도, 항문 등 인체의 구멍으로 부드럽게 들어갈 수 있고 병변 제거시 초소형 로봇팔이 나와 수술을 시행하는 제품으로, 2008년부터 5년간 한국연구재단(NRF) 지원 하에 순수 국내기술로 개발했다.

[그림 96] 케이 플렉스

나) 재활로봇

국내에서는 일상생활 간병/돌봄분야(이승, 식사, 배설, 욕창예방 등) 로봇과 재활 치료/보조용 외골격 로봇 연구가 활발히 진행되고 있다.

산업부 '돌봄로봇공통제품기술개발' 사업에서 일상생활 간병로봇의 상용화 제품 개발 연구를 수행하며, 다양한 현장실증 및 안전성 검증 등을 위해 복지부의 '돌봄로봇 중개연구 및 서비스 모델' 사업과 협업하여 추진하고 있다.

국립재활원은 재활로봇 연구용 테스트베드·인프라인 '로봇짐(Robot Gym)'을 운영하며, 2019년부터 다기관 임상연구, 근력강화 운동로봇, 가정용·보급형 재활로봇, 인허가 안전성 시험검사 지원 및 임상기능측정평가 연구를 추진하고 있다.

국내에서 재활로봇은 외골격로봇 및 하지보행 보조 로봇 위주로 주로 연구되고 있으며, 재활 및 보행 보조 연구는 주로 임상에서 치료사에 의하여 행해지고 있는 치료를 로봇으로 단순 모사하는 것으로, 난이도가 낮은 단계 연구가 활발한 상태다.

현재 국내에서는 다양한 중소기업이 제품을 개발하는 가운데, 착용형 웨어러블 로봇 및 발판형 보조운동 제품을 시장에 선보이고 있다.

엑소아틀레트아시아는 의료재활 치료용 웨어러블 로봇 '이에이엠(EAM)'을 국내 최초로 개발하고 2018년 8월 식약처 의료기기 인증을 처음으로 완료했다. 이는 병원 공급, 임상시험, 수가 책정 등 실제 의료 현장에 활용되기 위한 전제 조건을 통과한 것으로 정책연구, 임상시험을 통해 정확한 의료 효과 검증이 예상된다.

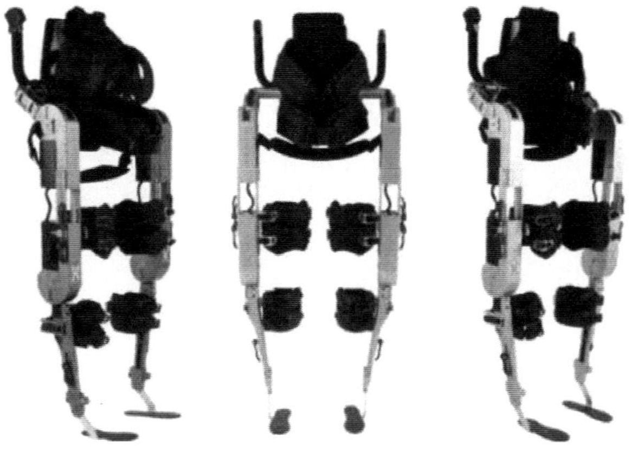
[36]

[그림 97] 이에이엠

36) 헬스앤라이프

큐렉소는 발판기반형 보행재활로봇 '모닝워크'를 출시한바 있으며, 가상현실 SW를 치료에 적용함으로 훈련의욕을 높이고 집중도 향상이 가능하다는 것이 특징이다. 이는 한국로봇산업진흥원에서 전담하는 '의료재활로봇 보급사업'에 선정되어 2019년 3분기 내 세브란스병원, 일산백병원, 중앙대학교병원 등 병원에 모닝워크의 보급 및 설치를 진행했다.

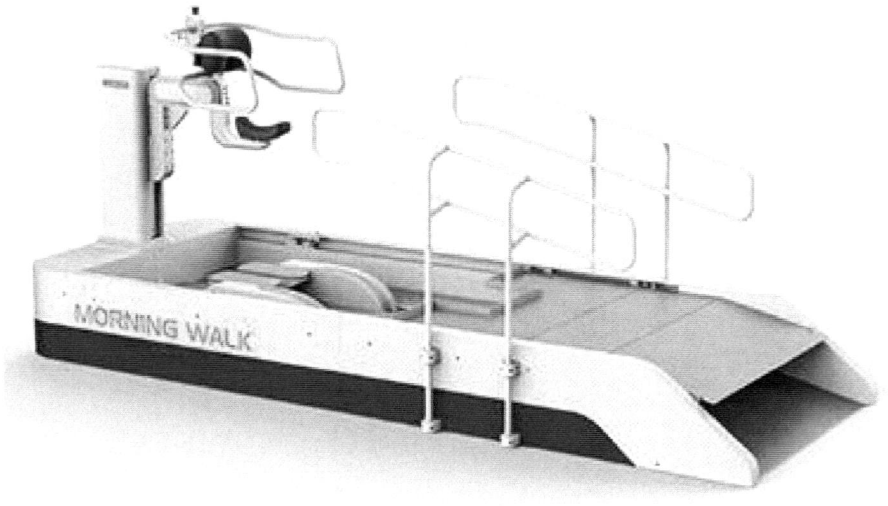

[그림 98] 모닝워크

피앤에스미캐닉스는 2012년 의료용 로봇보조 정형용 운동장치인 '워크봇(WALKBOT)'을 개발하여 국립재활원, 서울대학교병원, 연세대학교 원주세브란스기독병원, 양산부산대학교 병원 등에 공급하고 기술력을 검증하고 있다.

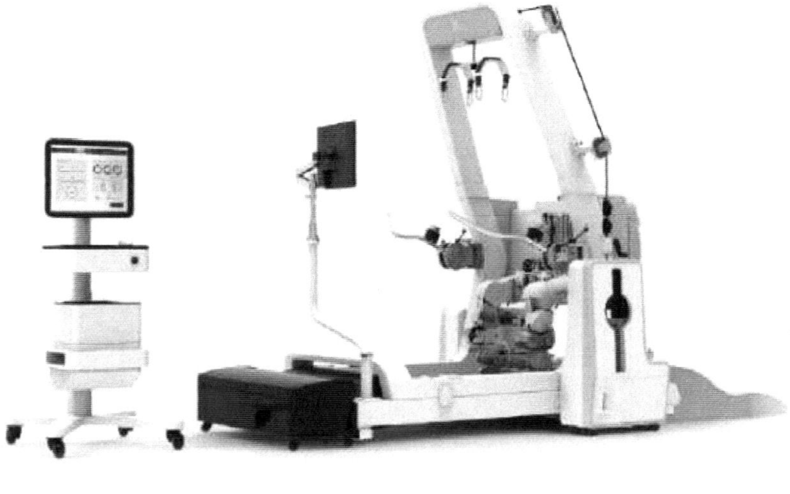

[그림 99] 워크봇

워크봇은 하지에 착용하는 로봇과 트레드밀, 체중 지지부로 구성되어 있으며 세계 최초로 로봇부 발목관절 구동을 구현하여, 움직임을 보다 정확하고 자연스럽게 보조하며 훈련 중 발생할 수 있는 발끌림 현상 방지가 가능하다. 성인용 보행 재활로봇 '워크봇-S', 어린이 전용 보행재활로봇 '워크봇-K', 워크봇-S와 워크봇-K 호환 모듈을 제공하는 '워크봇-G' 등이 출시되어있다.

㈜티로보틱스는 로봇보조 정형용 운동장치 '힐봇(Healbot) T'의 임상시험계획 식약처 승인을 2018년 12월에 받은 후, 서울아산병원 주관으로 임상시험을 수행하고 있다. 이는 뇌혈관 순환장애로 의식이 없거나 신체가 마비되는 뇌혈관 질환 환자 중 독립보행이나 보조적인 도움으로 보행이 가능한 환자를 대상으로, 보행능력에 로봇을 이용한 보행 재활이 미치는 효과를 확인하는 것을 목표로 하고 있다.

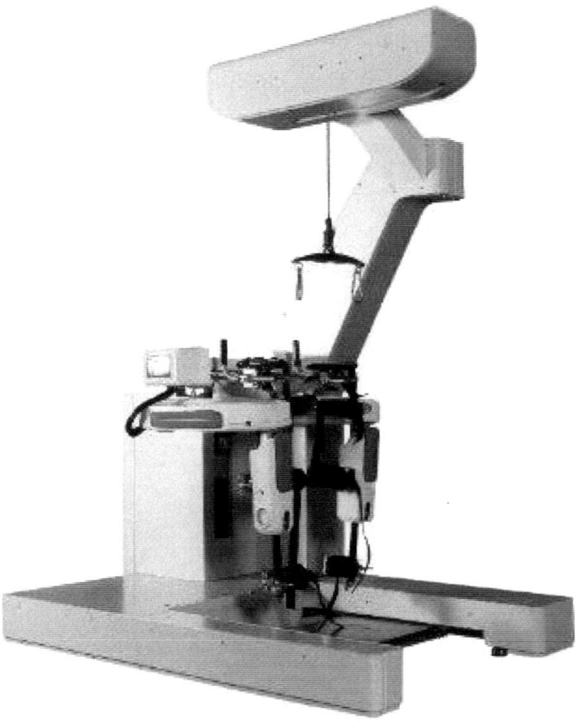

[그림 100] 힐봇 T

이 외에도 헥사시스템즈, NT로봇, 엔젤로보틱스, 엑소바이오닉스, 현대로템 등 많은 기업이 상/하지 재활, 보행보조, 완전/편마비 환자용 웨어러블 로봇 등을 선보이고 있다.

다) 보조서비스 로봇

보조 서비스 로봇은 물류로봇의 기능개선과 영상진단보조AI 및 의료용 로봇의 식품의약품안전처 의료기기 임상시험 승인 등 연구의 다변화가 이루어지고 있다.

사용 중인 병원물류용 자율운반 로봇에 약재처리 및 원격진료기능과 무선주파수를 활용한 환자 체온측정 기능 등 로봇의 ICT기술 융합이 추세이며, 인공지능(AI)이 적용된 진단보조 소프트웨어(의료영상검출보조소프트웨어, 의료영상진단보조 소프트웨어 등) 및 재활용 로봇(로봇보조정형용운동장치) 임상시험의 경우 2017년 대비 2배가 증가했다.

구분	2016	2017	2018	2019	2020
인공지능(AI) 임상시험	0	3	6[37)]	17	11

[표 23] 연도별 임상시험 승인 현황(2016~2020)

보조 서비스 로봇의 경우 기존 로봇 업체가 병원에서 요구되는 조제 및 운반 로봇 등 분야에도 확장하여 제품을 출시하고 있다.

2003년 설립된 크레템은 병원 약국 조제 자동화 로봇을 개발, 유럽 28개국을 포함해 북미와 중국 등 주요 국가에 현재까지 3,500여대의 자동 조제기를 판매하고 있다. 크레템은 약품의 형상과 관계없이 자동으로 조제기술을 세계 최초로 개발하고, 해외 기업과 협업하여 약국 자동화 시스템과 주사제 조제 시스템(PIVAS) 개발을 추진하고 있다.

유진로봇은 2017년 7월 환경 연동 및 사용자 식별이 가능한 저하중/고하중 병원 물류로봇 고카트(Gocart)를 출시하였고, 평창올림픽, CES 2019 등에 참가하였다. 고카트에는 독자적으로 개발한 자율주행 솔루션이 탑재되어 정확한 공간 분석 후 목적지로 스스로 물건을 배송하며, 현재 라이다(LiDAR) 센서 성능을 자체 개선했다.

37) 의료영상검출보조소프트웨어 3, 의료영상진단보조소프트웨어 3

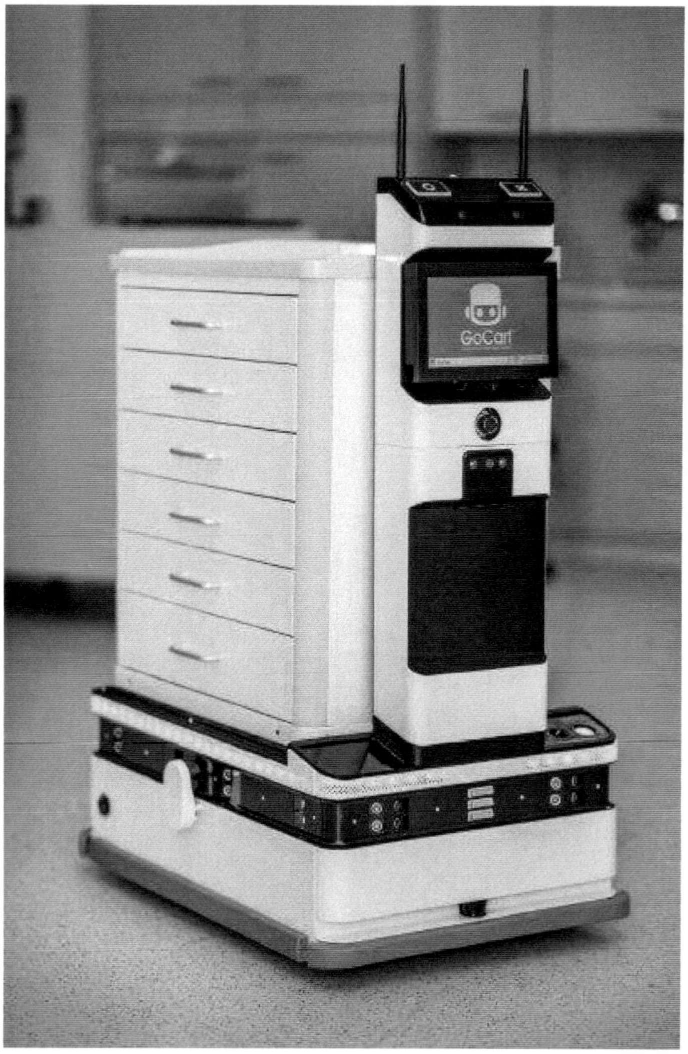

[그림 101] 고카트 120

다. 의료서비스 로봇 정책 동향

1) 해외 동향

가) 미국

트럼프 정부는 의료기기가 포함된 10대 기반 산업을 선정하였고, 2017년 '국가로봇계획(NRI: National Robotics Initiative) 2.0'을 추진했다. 이를 통해 2017년 한해 약 2억2,200만달러를 투자하였으며, 국립과학재단(NSF) 4,400만달러, 국방부(DoD) 1억 300만달러, 에너지부(DoE) 1,200만달러 등 부처별 로봇연구를 지원했다.

국립보건원(NIH) 산하 국립 생의학 영상 및 생체공학연구원(NIBIB), 아동건강 및 인간발달 국립연구소(NICHD) 등을 중심으로 재활로봇분야 연구 지원이 활발히 진행되고 있다.

나) 독일

독일은 2010년 '하이테크전략 2020', 2014년 '신 하이테크전략'을 발표하고 미래 기술산업인 로봇산업을 집중육성 분야로 지원하고 있다. 특히, 'IKT 2020 - 혁신을 위한 연구' 프로그램 시행을 통해 독일연방교육연구부(BMBF) 주관으로 IT와 의료 융합서비스로봇 분야에 연간 3억 유로를 지원하고 있다.

다) 일본

일본은 2015년 '로봇新전략'에 따라 4대 중점분야(개호(care), 농업, 제조, 재해)에 대한 로봇보급 확대를 위해 2020년까지 1,000억엔을 투자했다. 또한, 이송·보행·배설·치매·목욕지원 등 5개 분야 개호(care)로봇에 대한 실용화 및 보급 지원 등을 통해 서비스로봇 시장을 향후 5년간 20배 규모로 확대할 전망이다.

2016년 제5기 과학기술기본계획 및 2017년 과학기술이노베이션종합전략 2017에 따라 로봇을 활용한 사회적 과제(저출산·고령화 등) 해결을 하나의 과제로 설정하였으며, 일본의료연구개발 기구(AMED)에서는 의료기기 개발 분야에 2018년 128.9억엔을 투자했다.

라) 중국

중국은 2015년 중국제조2025를 발표하면서 10대 핵심 산업에 로봇을 포함시켰으며, 과학기술부는 2017년 '스마트 로봇 프로젝트 가이드를 발표했다.

국무원은 ‘국가 중장기 과학기술 발전계획 요강(2006~2020)에 따라 2020년까지 서비스로봇, 수술로봇 등 육성을 위해 약 300억위안 규모의 예산을 지원하고 있으며, ‘중국 인더스트리4.0’, ‘국가표준화체계 건설발전계획’ 등 의료용로봇 지원 정책을 발표했다.

2) 국내 동향

국내에서는 2016년 '로봇산업 발전방안', 2018년 '지능형 로봇산업 발전전략'이 발표되었고, 2019년 하반기에 '제3차 지능형로봇 기본계획'을 발표했다.

정부는 '로봇산업 발전방안', '지능형 로봇산업 발전전략을 통해 2022년까지 지능형 제조로봇 및 의료·안전 분야 서비스로봇을 개발·확산하여 생산성 향상 및 삶의 질 개선을 목표로 하고 있으며, 2018년 5월 지능형 로봇개발 및 보급 촉진법 개정과 더불어 대통령 직속 4차 산업 혁명위원회에서 로봇 지원정책을 발표하였으며, 의료·재활 등 서비스 제공을 목표로 하는 연구개발 지원, 규제 개선 등에 대한 전반적인 법/정책을 기획하여 집중적으로 지원하기로 했다.

보건복지부는 '혁신의료기술 별도평가트랙' 도입 및 '신의료기술 평가기간 단축'의 내용을 담은 '신의료기술평가에 관한 규칙' 개정안을 2019년 3월 15일에 공포·시행하여 산업화 촉진이 기대된다.

전문가 자문 절차 폐지 등으로 평가 기간을 30일 단축하고, 인공지능, 로봇 기술 등이 접목된 의료 제품은 신의료기술 항목으로 통과 가능하여 시장 조기진입이 가능할 것으로 전망된다. 첨단기술이 융합된 의료기술 및 사회적 활용가치가 높은 의료기술은 기존의 신의료기술평가가 아닌 별도 평가트랙(혁신의료기술 별도평가트랙)을 활용한다.

07. 재난 로봇

7. 재난 로봇

가. 재난 로봇 개요[38)]

재난대응 로봇은 자연재해, 인적 재난과 사회적 재난 등의 재난상황에서 재난 확산을 방지하고 피해를 최소화하며, 사고 처리를 위한 로봇 시스템이다. 산업용 로봇 기술의 안정화, 지능화에 따라 극한 재난 환경에서 방재 요원과 함께 활용할 수 있는 로봇이다. 재난대응 로봇의 범위는 보안/경비 로봇, 공공안내 로봇, 재난/재해 로봇, SOC 관련 로봇 등 4가지로 분류된다.

구분	내용
보안/경비 로봇	생활, 환경 그리고 기반시설 등의 보안과 경비를 담당하는 로봇
공공안내 로봇	다양한 장소에서 사용자 안내 혹은 업무보조 역할을 수행하는 로봇
재난/재해 로봇	재난 등을 감시하고 인간이 하기 어려운 일을 대신 해주는 로봇
SOC 관련 로봇	사회 주요시설 보수, 에너지 탐사 및 전체 로봇 시스템 통제 시스템

[표 24] 재난대응 로봇의 분류

기술적 중요성으로 재난대응 로봇은 메카트로닉스를 기본으로 센서, 정보, 반도체, 인공지능, 신소재 등 첨단기술과 기계, 전자, 항공 등 전통기술이 융합된 고부가가치 첨단기술의 복합체이다. 향후 로봇 기술이 발전함에 따라 지능형 무인 건설기계, 자율주행 국방로봇, 우주탐사 및 개척용 로봇의 개발 등 국가 전략 분야에 활용도가 크다.

경제·산업적 중요성으로서는 첫째, 재난대응 로봇의 시장규모는 기술개발에 의한 성능/가격 비율의 증대에 따라 급속히 증대될 것으로 전망된다. 둘째, 기술 성숙화 및 저가화 전략에 의해 개발을 추진하여 세계시장의 조기형성을 유도할 수 있다. 셋째, 각종 재난에 따른 국가적 손실 감소에 기여하는데, 실제로 로봇들이 2011년 일본 대지진 현장에 투입되어 재난 구조 활동을 전개하기도 했다.

넷째, 신개념의 센서, 재료, 기구부 등의 개발에 따른 고부가가치 신산업을 창출할 수 있다. 다섯째, 재난을 효율적으로 극복, 수습하기 위한 재난극복, 인명 구조용 로봇의 수요가 급증할 것으로 전망된다.

---

38) 재난·재해 대응형 IT 기술, 전황수, ETRI, 2013

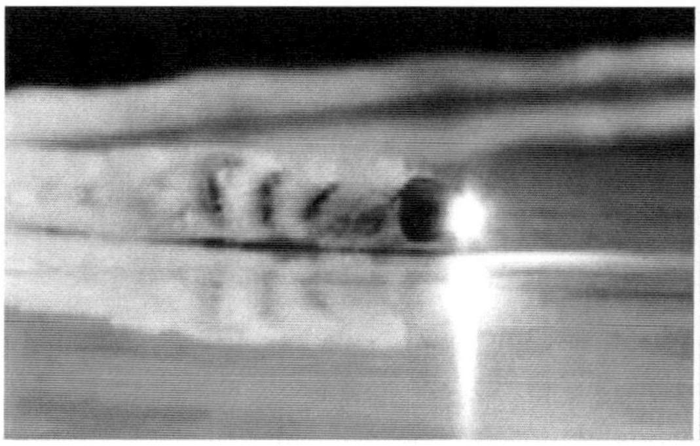

[그림 103] 뱀형 로봇

[그림 104] 퀸즈 로봇

로봇이 재난현장에 활용되기 위하여 기술적인 문제뿐만 아니라 제도적, 사회적으로 풀어야 할 문제가 많다. 우선 제도적으로는 관계 법령을 제정해야 하며 제품인증을 개설해야 하고 현장 활용을 위하여 매뉴얼을 만들어야 한다.

또한 사회적으로는 조그마한 실수도 인명 및 재산 피해에 막대한 영향을 줄 수 있는 소방현장에 신기술 도입을 꺼리는 경향이 있으므로 이러한 생각을 변화시켜야 한다. 하지만 무엇보다 중요한 것은 현장에서 꼭 필요로 하는 기술을 구현하고, 믿고 사용할 수 있는 고신뢰성의 제품을 개발하는 것이 선행되어야 할 것이다.

나. 재난 로봇 기술 동향[39)]

그동안 재난대응로봇은 여러 차례 현장에 투입되어 특정 임무를 수행하였다. 특히, 미국의 CRASAR(Center for Robot-Assisted Search and Rescue)은 2001년 9·11 테러 당시 무너진 월드 트레이드 센터에 UGV(Unmanned Ground Vehicle) 로봇 투입을 시작으로 2005년 허리케인 카트리나, 2011년 동일본 대지진을 포함하여 20건 안팎의 대규모 재난이 발생한 곳에 지상(UGV), 수중(UMV, Unmanned Maritime Vehicle), 공중(UAV, Unmanned Aerial Vehicle) 로봇을 활용하여 수색 및 구조(Search and Rescue) 작업을 수행한 바 있다.

동일본 대지진 당시에도 미국 iRobot 사의 'Packbot', QinetiQ 사의 'TALON', 일본 도호쿠대의 'Quince' 등이 사람이 접근하기 힘든 후쿠시마 원자력 발전소 내부에 투입되어 영상을 촬영한 후 외부로 전송하는 작업을 수행하였다.

하지만, 현재까지 활용된 대부분의 재난대응로봇은 사고 직후 긴박한 상황이 아니라 재난 상황이 더 이상 진전되지 않는 시급성과 위험성이 덜한 복구 단계에서 사용되었다. 물론 국내외적으로 널리 개발된 화재현장에서 방수작업을 통해 화재진압을 돕는 소방로봇은 사고가 진행되는 상황에서 활용된 사례가 있지만, 소방대원의 부상의 위험이 있는 긴급한 상황보다는 주로 장시간 방수작업을 해야 하는 상황에서 활용되었다.

플랫폼	활용 재난 및 주요 기능
비행 정찰로봇	주요 기능 - 재난현장(실외) 실시간 모니터링 - 유해(화학) 물질 탐색 - 화재의 전개 방향, 건물의 붕괴 징후 등 위험 분석 - 요구조자 탐색 - 요구조자/소방대원 (대피)이동로 정보 제공(음성, 영상 등)
위험지 이동 정찰로봇	주요 기능 - 특수 현상 징후 파악 및 소방관 진화활동시 소방대원 대피/이동 정보 제공 - 재난현장(실내) 실시간 모니터링 - 유해(화학) 물질 탐색 - 요구조자 탐색

[표 25] 재난 상황에 활용 가능 9종 로봇 후보

39) 재난 및 안전 로봇, 손동섭, Special Issue, 2018.06

플랫폼	활용 재난 및 주요 기능
협소 공간 이동 정찰로봇	주요 기능 - 붕괴물 내부 등 협소 지역 정찰 및 요구조자 탐색 - 협소 지역 유해(화학) 물질 탐색 - 협소 지역 구호물품(물, 식량 등) 전달
요구조자(부상자) 이송로봇	주요 기능 - 요구조자 발견 후 이동의 편리성 제공 - 요구조자 보호(충격 완화, 유해가스 차단 등) - 소방대원 추종(뒤따라 감) 및 호출시 소방대원 위치로 자율 이동 - 요구조자를 안전지역으로 자율 이송
소방대원 근력증강 슈트	주요 기능 - 소방대원의 보호장비 착용 무게로 인한 구조활동 어려움 개선 → 보호 장비 착용 무게 감소 → 장비.요구조자 이송에 필요한 힘 감소 → 반복 작업의 힘 감소 - 빠르고 자유로운 구조.구급 활동 가능
장갑소방차	주요 기능 - 2차 붕괴, 폭발 발생 가능성이 있는 위험지역의 화재진압 및 인명 구조(차량 내 요구조자 보호 공간 구비) → 붕괴, 폭발 등 위험지역 탐색 → 필요시 장애물(문, 벽 등) 돌파
긴급작업용 양팔 작업로봇	주요 기능 - 유독가스 붕괴 위험 등 사람이 들어가지 못하는 재난현장의 2차 사고 방지를 위한 긴급작업(밸브 잠금, 문개방, 스위치 조작 등)
장비 수송용 로봇	주요 기능 - 소방대원의 이동 편리성을 위한 소방 장비 이송 - 소방대원 추종(뒤따라 감) 및 호출시 소방대원 위치로 자율 이동
장애물 처리로봇 (불도저형)	주요 기능 - 진출입로 확보를 위한 장애물 처리 및 이송 - 붕괴현장 잔해물 처리 및 이송

[표 26] 재난 상황에 활용 가능 9종 로봇 후보

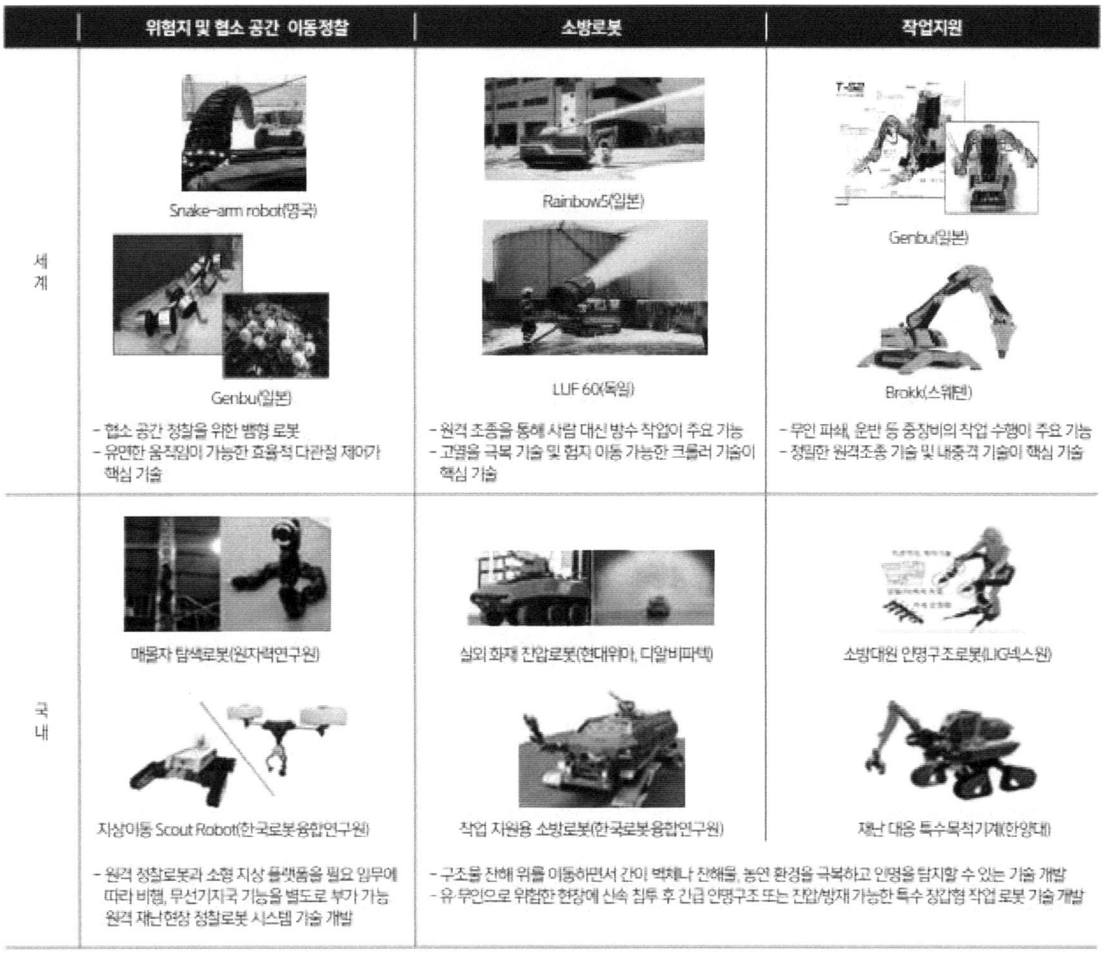

[그림 105] 전 세계 및 국내 재난안전로봇 시장 기술 동향

다. 재난 로봇 시장 동향[40)]

재난안전로봇의 전 세계 시장은 시장 형성 초기 단계로 4,900만 달러(2015년) 규모지만 연평균 성장률은 9%대로 성장잠재력이 매우 높다. 특히 재난·재해와 사건·사고가 증가함에 따라 인명구조, 재난 복구 등을 위한 로봇 개발이 활성화되고 있는 추세이다.

공공부문 주도의 기술개발이 진행 중이며, 국방/건설/원전 등 기 개발 로봇 기술을 재난 분야에 응용 및 활용하는 경우가 많다. 세계적으로 감시경계로봇, 재난대응로봇, 소방로봇 등 다양한 기술개발이 추진되고 있으나 아직 완성도 높은 로봇 개발 사례가 부족하고 미국과 일본은 꾸준히 연구센터 중심의 재해복구 상황의 로봇 활용을 하고 있으며, 특히 일본은 WRS 대회를 통해 안전 로봇 기술 선도를 목표로 추진 중에 있다.

국내 재난안전로봇 시장은 45억 원(2008년)에서 727억 원(2015년)으로 연평균 43%의 급성장 추세이며, 중장기 유망시장으로 주목받고 있다. 안전로봇과 관련한 다양한 정책 및 사회적인 필요성 증대에 따라 관련 시장이 블루오션으로 부상 중이다. 국내에서는 다양한 안전로봇이 개발되고 있으나 현장 적용, 제품의 개선 및 검증을 위하여 시범운영 등 추가적인 노력이 필요한 실정이며 KIST, KAERI, KIRO 등 연구원을 중심으로 재해 환경 정찰로봇, 소방로봇, 작업지원로봇 등을 개발 중에 있다

40) 재난 및 안전 로봇, 손동섭, Special Issue, 2018.06

08. 지능형 로봇

8. 지능형 로봇

가. 지능형 로봇 개요

지능형 로봇(Intelligent Robots)이란 외부 환경을 인식하고 스스로 상황을 판단하여 자율적으로 행동하는 로봇을 의미한다. 지능형 로봇은 기존 로봇에 유비쿼터스 네트워크와 정보 기술 및 서비스 기술을 접목한 지능형 서비스 로봇의 새로운 개념으로, 여기서의 로봇은 물리적인 로봇에 그치는 것이 아니라 환경 내 곳곳에 내재된 센서로부터 생활 정보를 보내 주는(Manipulation) 임베디드 로봇과 언제 어디서나 상황에 맞는 정보와 서비스를 능동적으로 제공하는 지능형 소프트웨어 로봇 등을 포함한다.

인간의 개입 없이 스스로 움직이며 사람을 돕고 노동을 하는 자율주행 로봇 시대가 왔다. 산업사회에서 정보화 사회를 거쳐 지능기반사회로의 발전에 따라 로봇의 패러다임은 노동대체 수단으로서의 '전통적 로봇'에서 인간 친화적인 '지능형 로봇'으로 변화되고 있다.

지능형 로봇은 용도별, 형태별 등 여러 가지 방법으로 분류할 수 있으며, 향후 응용 분야를 기준으로 가사 지원/실버 로봇, 교육/오락 로봇, 의료/헬스케어 로봇, 국방/안전 로봇, 해양/환경 로봇으로 구분할 수 있다.

인공지능 등 IT 기술을 바탕으로 인간과 서로 상호작용하면서 가사 지원, 교육, 엔터테인먼트 등 다양한 형태의 서비스를 제공하는 인간 지향적인 로봇으로 단순 반복 작업을 주로 수행하는 산업용 로봇과 달리 인공지능, 휴먼 인터페이스, 유비쿼터스 네트워크 등의 IT기술이 집적된 퓨전 시스템으로 1가구 1로봇 시대라는 무한한 잠재적 시장을 겨냥하여 선진 각국은 주도권 확보를 위한 다양한 정책을 수립하여 산업 육성에 매진하고 있다. 그러나 현재까지는 일반 국민 등 수요자의 기대 수준과 기술 수준과의 격차가 큰 상태이며, 아직까지는 수요를 만족시킬 수 있는 Killer Application이 개발되어 있지 못한 상황이다.

이러한 지능형 로봇 산업은 궁극적으로 "언제 어디서나 나와 함께 하며, 나에게 필요한 서비스를 제공하는 로봇"의 개념을 접목시켜 Ubiquitous Robotic Companion(URC)으로 정의하고 있다. 이는 기존의 로봇 개념에 네트워크를 부가한 UCR의 개념을 도입함으로써 다양한 고도의 기능이나 서비스 제공이 가능하고 Mobility와 Human interface가 향상된 로봇 시스템으로 진화함을 의미하며, UCR 개념의 도입은 사용자 측면에서는 보다 저렴한 가격으로 다양한 서비스와 즐거움 을 제공받을 수 있는 가능성이 확대됨을 의미한다. 쉽게 말해서 로봇 스스로가 생각하고 판단을 내리는 인공지능 로봇을 지능형 로봇이라 한다.

나. 지능형 로봇 기술 동향

1) 해외 동향

가) 미국

미국은 국가 경쟁력의 원동력으로 인식하고 로봇 산업을 육성하고 있으며, 2011년 '첨단 제조 파트너 쉽'(AMP:Advanced Manufacturing Partnership)을 발표하고, 이 일환으로 '국가 로봇 계획'(National Robotics Initative)을 추진하고 있다.

미국 정부에서는 지능형 로봇 기술을 6대 첨단기술의 하나로 분류하여 미국 안보에 중대한 영향을 미칠 수 있는 중요 기술로 지정하였다. 먼저 청소 로봇을 일반에 판매하여 큰 성공을 거둔 IROBOT의 '룸바'와 엔터테인먼트 로봇인 타이거 일렉트로닉의 'I-CYBIE' 등의 개인서비스용 로봇 제품과 미국이 중점적으로 투자하고 있는 전문서비스용 로봇분야인 '팩봇'과 베어들 군사용 로봇인 다빈치 등이 있다.

미국의 주요 지능로봇 관련업체는 군사용 의료용 로봇과 같은 전문서비스용 로봇에 막대한 투자 및 기술개발을 하고 있다. 예를 들어 휴머노이드 로봇, 3인조밴드 로봇, 오락용 로봇, 무선 제어 로봇, 청소용 로봇, 간호보조 로봇 등이 있다.

미국은 산업용 로봇의 창시국으로, 시장규모 면에서 세계2위, 인공지능 등 원천기술 분야에서 세계 1위의 로봇 선도국이다. 우주, 국방, 의료 분야에서 로봇 기술의 활용이 돋보이며, 대표적인 기업으로는 세계 최초의 청소 로봇 룸바를 생산하는 아이로봇, 최근 빅독으로 유명세를 탄 보스톤 다이내믹스사, 수술 로봇의 세계1위 기업 다빈치 시스템의 인튜이티브 서지컬 등이 있다.

[그림 107] 보스턴 다이나믹스

미국은 이미 알파벳(구글)의 자회사이던 보스턴 다이나믹스가 사람처럼 이족 보행을 하며 자유자재로 뛰거나 움직이는 로봇 아틀라스로 기술력을 과시한 바 있다. 사무실 같은 사무 공간이나 공장 등 활용 가능성이 무궁무진하다. 내년에는 건설현장 투입을 목표로 4족 보행 로봇 '스팟 미니'를 본격 판매할 계획이다.

41)

[그림 108] 보스턴 다이나믹스의 로봇

미국의 대형 유통업체인 크로거는 올 연말을 목표로 실리콘밸리의 로봇 기업 뉴로를 통해 자율주행 로봇을 이용한 무인 배달 서비스를 준비하고 있다. 소비자가 온라인이나 매장을 방문해 필요한 물품을 선택하면 자율주행 로봇이 물품을 싣고 집 앞까지 가져다주게 된다.

42)

[그림 109] 크로거의 자율주행 배송

41) 동아 사이언스
42) 로봇신문사

나) 일본

일본은 아베노믹스 성장전략의 핵심정책으로 범정부차원의 ‘로봇 新전략’을 발표하고 로봇정책실을 설치하였고 큰 폭의 예산 증액(2015년 160억엔 → 2016년 294억엔)은 물론, R&D 중심의 지원을 벗어나 시장화를 지원하는 ‘로봇도입 실증 사업’을 적극 추진했다. 일본은 미국에서 발명된 산업용 로봇(Unimation사의 PUMA)을 본격 산업화한 시장 규모면에서 세계1위의 로봇강국이다.

미쓰비시 중공업, 히다찌, 야스카와, 나가사끼 중공업 세계 굴지의 산업용 로봇 제조회사들이 로봇 산업을 형성하고 있다. 일본은 정통적인 로봇 강국으로 자율주행 기술개발과 함께 현장 투입 테스트에 공을 들이고 있다. 소프트뱅크의 로봇 페퍼는 일본 소프트뱅크 매장 140여 곳에서 접객 업무를 진행 중이다.

[그림 110] 소프트뱅크 페퍼

간사이 국제공항은 올해 초 셀프 체크인 로봇과 청소 로봇의 실증 테스트를 마쳤다. 일본 치바 공대는 지난 7월 지능형 로봇에서 탑승형 로봇으로 변신할 수 있는 칸구로를 개발하고, 일본 도요하시 공대도 꽃재배용 자율주행 로봇을 개발 중이다.

업계 관계자는 "자율주행 로봇의 발전은 저 출산과 인구 고령화로 인한 노동 인구 감소를 해결할 수 있는 대안이 될 수 있을 것"이라고 말했다. 이처럼 지능형 로봇의 실행화가 시작되고 있다.

지능형 로봇은 인구 문제로 인한(고령화 저출산)상황을 어느 정도 대체하여 인구 문제 해결에 있어 중요한 문제 해결을 할 수 있다. 일본은 대기업 주도로 개인용 서비스로봇 중심의 연구개발이 활발하며, 제조업용 로봇에 이어 서비스 로봇에서도 전 세계 지능형 로봇 시장을 주도하고 있다.

산업체에서는 제조용 로봇을 통해 확보한 주요기술을 지능형 로봇의 제어에 응용하고, 학연을 중심으로 지능을 위해 필요한 애플리케이션을 개발하고 있다. 일본의 차세대 로봇 기술에 대한 연구개발 방향은 사회적인 인구 구성의 변화와도 큰 관계가 있다.

고령화 사회인 일본에서는 국가적인 차원에서 노인과 어린이 가사노동을 대상으로 하는 로봇이 깊게 연구되고 있고, 실제 상용화된 제품이 출시되고 있다. 예를 들어 '이프봇(IFBOT)'은 독거 노인들의 말상대를 해줄 수 있는 노인과의 대화만을 위해 고안된 로봇이다.

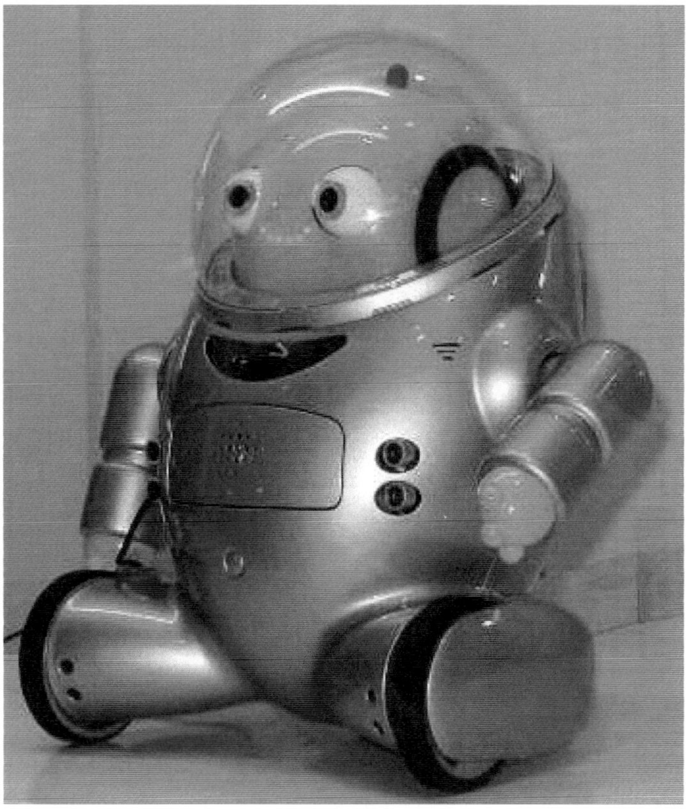

[그림 111] IFBOT

또 가정에 애완견이나 아이가 혼자있는 경우가 많아 집 밖에서도 언제든 핸드폰을 통해 이들을 보살필 수 있도록 하는 영상 모니터일 전문 로봇 '로보리아'를 상용화했다.

다) 유럽

유럽에서는 주로 독일을 중심으로 청소, 구조/국방/보안, 건설/파괴. 낙농, 의료, 에듀테인먼트 등의 분야에서 활용되는 서비스 로봇을 제작 판매하고 있고, 진공청소로봇분야는 스웨덴에서 세계최초로 청소로봇 TRILOBITE를 개발하여 현재의 청소로봇 시장의 산파 역할을 담당하였다.

[그림 112] TRILOBITE

청소 로봇은 영국의 다이슨, 독일의 KARCHER 등이 생산하고 있다. 독일 'SIEMENS'의 'SINAS'는 로봇의 자율 이동기능을 이용해 대형 마트 등에서 청소와 짐 운반 등의 서비스를 제공하고 있다.

프랑스의 MECCANO의 SPYKEE의 경우 와이파이, 블루투스, 적외선과 음성인식기술이 적용된 조립로봇으로, 로봇의 모바일 CCTV를 통해 집 상태를 살펴볼 수 있고, 와이파이를 이용해 전세계 어디에 있든지 조정이 가능한 스파이 로봇이다.

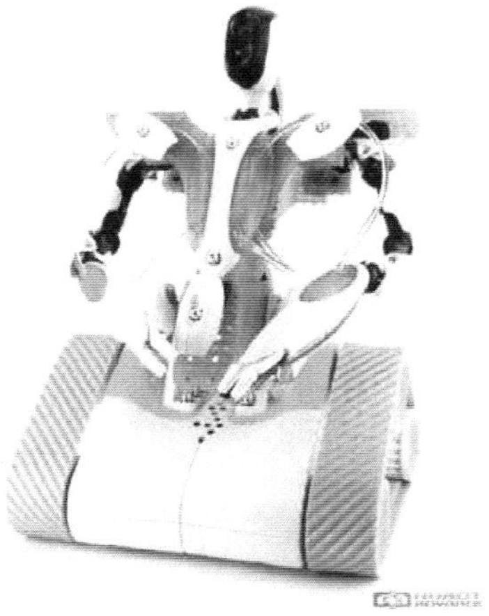

[그림 113] SPYKEE

유럽은 전통적으로 낙농산업과 복지산업이 발달한 지역으로, 로봇도 농업용 로봇과 실버 복지 로봇에 대한 연구가 한창이다. EU는 로봇 분야 실행을 위해 연구와 혁신을 추진하는 SPARC프로그램을 개시하였다.

독일은 스마트 공장 시스템에 중점을 두어 하이테크 전략(Industry 4.0)을 추진하고 있고, 프랑스는 중소기업에 로봇 설비투자에 10%까지 자금지원을 하고 더불어 세계 5대 서비스 로봇 국가진입을 목표로 적극적인 육성정책을 추진하고 있다. 영국은 '국가 로봇 전략'을 수립하고 '25년까지 세계 로봇시장의 10%점유를 목표로 하고 있다.

라) 중국

중국은 중국 10대 산업 육성계획의 핵심 산업분야로 로봇을 선정하고 Smart Manufacturing 프로젝트(2015년 3월)를 추진하고 있다. 또한 '로봇 산업 발전계획을 발표했고 국제 수준의 제품 성능 및 품질 확보, 핵심부품 기술력 향상, 시장 수요를 만족시키는 로봇산업 시스템 구축 계획을 제시하였으며, 교육용 로봇 등에 관심을 보이고 있다.

2) 국내 동향

현재 국내에서는 '지능형 로봇 개발 및 보급 촉진법(이하 지능형로봇법)'을 2008년 3월에 제정한 이후에 2028년까지 연장하는 2018년 대한민국 "지능형 로봇 산업육성 특별법" 개정하고, '지능형 로봇 기본계획(1~2차)' 등을 통해 로봇산업 지원체계를 구축하고 지원하고 있다.

또한, 로봇 산업의 성장을 위해 산업용 로봇과 서비스용 로봇을 구분하여 2020년까지의 발전 방향을 세워 핵심 기술개발을 진행 중이다. 특히 지능기술과 제어기술을 중심으로 방향을 설정하여 국내 기업들의 로봇 개발을 이끌고 있다.

하지만, 국내 로봇산업실태 조사에서 2014년 국내 로봇시장은 4번째로 로봇은 생산하는 국가로 나타났으며, 국내의 로봇산업은 자동차, IT산업을 중심으로 한 제조업 중심으로 한 생산 자동화에 집중되고, 사물인터넷, 클라우딩 컴퓨팅 등 스마트 공장으로 변화하면서 제조용 로봇산업이 활성화되는 반면 기술력에서는 일본에 뒤지고 시장 규모는 중국에 뒤처지면서 시장규모가 작은 서비스 로봇에 대해서는 정부의 정책적 지원이 매우 필요하다고 예측하고 있다.

로봇산업의 종합기술 경쟁력은 미국, 일본, 유럽에 이르러 세계 4위의 수준을 보여주고 있으며, 최고기술 보유국인 미국 대비 상대수준은 80.6%를 나타내고 있다. 지능형 로봇산업은 국내외적으로 새로운 성장산업으로 주목을 받으면서, 국내에서도 지식경제부의 미래 선도 산업으로 선정되며, 반도체·자동차산업 규모 이상의 성장 잠재력을 가진, 소득 2만 불 시대를 선도할 미래의 'STAR' 산업으로 주목받고 있다.

유진로봇은 청소, 엔터테인먼트, 산업용 로봇 등을 제조하는 로봇전문업체로 글로벌 시장 진출 및 입지구축, r&d에 많은 투자를 하고 있다. 유진로봇의 청소용로봇 아이클레보는 상용화 후 좋은 반응을 얻으면서 국내에서 청소용 로봇 시장을 개척하고 있으며, 해외 업체에 뒤지지 않는 경쟁력을 확보하고 있다.

[그림 114] SPYKEE

한울로 보틱스는 청소용, urc, 연구용 이동로봇, 로봇청소기 등 지능형 로봇 개발 전문업체로 축구로봇과 교육용 로봇 등을 자체 개발하여 판매하고 있다. 최근에는 가정용 로봇(홈 로봇, 청소 로봇, 토이 로봇, 감성로봇)분야, 안내용 로봇(안내, 홍보), 국방용 로봇분야에 개발에 중점을 두는 기업이다.

다사로봇은 산업용 로봇, 모션 컨트롤러, 서보 시스템, 지능형 서비스 로봇 등의 로봇제조 전문업체로 제조업용 로봇분야에서는 다양한 자동화 어플리케이션과 솔루션을 제공하여 왔으며 서비스용 로봇분야에서는 지능형 모바일 플랫폼, 공공도우미 로봇, 경비 로봇 등 꾸준히 신제품을 개발하고 있다. 또한, 국내최초로 감성형 엔터테인먼트 로봇 애완용 로봇 제니보를 개발하여 상품화하였고 업계 최초로 코스닥에 직상장한 기업이다.

[그림 115] 제니보

이지로보탁스는 엔터테인먼트로봇, 가정용 로봇, 교육용 로봇, 미니 로봇 등을 생산하는 서비스로봇 전문업체로, 국민로봇 사업에 참여하여 뉴스, 날씨 등의 정보 제공 서비스는 기본이며, 일정관리, 구연동화, 음악앨범, 라디오 그리고 각종 게임 등 다양한 엔터테인먼트를 제공하는 네트워크 로봇 큐브를 개발했다. 그리고 로봇축구 키트 등을 전문으로 만들어 수출하여 교육용 로봇시장에서도 큰 수익을 거두고 있다.

이외에도 최근 로봇 쓰리에서는 '비 라이더'라는 자이로 센서로 균형을 잡는 직립직 스쿠터가 최초로 개발되어 많은 사람들의 관심을 끌고 있으며, 외식도우미 로봇 '아로'를 개발하여 CJ 푸드빌과 함께 외식 현장에 보급하고 있다.

중소기업 위주의 서비스용 로봇 시장에 다사 로봇을 인수한 동부 그룹이 새롭게 진입하였으며, 가전 제품을 생산하는 대기업인 엘지, 삼성의 청소용 로봇시장 진출과 삼성 테크윈, 한화와 같은 방산업체 등이 군사용 로봇시장에 진출하고 있다.

이렇게 막대한 자본력을 가진 대기업의 로봇시장 진출은 기존 중소업체 위주의 로봇시장에 큰 변화를 가져오고 있는데, 공격적인 사업 확장과 원천기술 개발 그리고 마켓팅 등을 통해 로봇시장의 전반적인 발전을 이끌고 있다.

동부 로봇은 가정용 방범로봇 '이지스 에스알'을 비롯하여, 아이들의 교육용 로봇인 '둘리' 등의 제품을 선보였다. '이지스 에스알'은 사용자가 외출할 때 외부문을 잠그게 되면 로봇 안에 있는 센서들이 경비를 시작하게 된다. 경비가 시작되면 '이지스 에스알'은 침입감지 센서가 동작하지 않더라도 경로를 계획하며 주행함으로써 지능형 자율을 수행하고, 경비 환경을 순찰 주행하게 된다.

kist(한국과학기술연구원)의 지능로봇연구센터 강성철 박사팀은 이라크에 파견하였던 군사용 로봇 '롭해즈'를 개발하였다. 'robhaz'는 'robots for hazardous application'의 약자로 이 군사용 로봇은 계단과 가파른 경사면이나 험한 지형을 자유롭게 오르내릴 수 있으며 리눅스를 탑재한 제어시스템에 의해 안정적으로 원격 조정된다. 또한, 폭발물 처리용 물대포, 화생방 장비, 야간 투시경, 지뢰 탐지장치등을 장착할 수 있어서 군사용으로 폭 넓게 활용될 수 있으며, 2004년 미국에서 열린 '세계로봇경지대회'의 구조작업분야에 참가하여 역대 최고점수로 우승을 하여 뛰어난 기능을 이미 인정받고 있다.

이외에도 kaist에서는 한국 최초이자 세계에서 3번째인 두 발로 달릴 수 있는 인간형 로봇인 '휴보'를 개발하였다. 2004년 휴보를 개발한 이후 2009년 5년만에 개발한 '휴보2'는 초당 3걸음 이상 달릴 수 있는 로봇으로, 41개 몸통관절에 사람처럼 손목을 돌리고 5개의 손가락으로 물건도 쥘 수 있다. 아직 일본과의 기술격차는 있지만, 점차 그 격차를 줄이고 있는 추세이다.

다. 지능형 로봇 시장 동향[43)]

시장조사기관 마켓앤드마켓(Markets and Markets)에 따르면, 전 세계 지능형 로봇 시장은 2020년까지 연평균 19.22%의 성장률로 그 규모가 50,000억엔에 이르렀다. 자동차, 건설 등 제조업과 전문화된 산업분야를 포함해 노인 지원, 엔터테인먼트, 청소 등 개인 서비스를 제공하는 등 다양한 분야에서 활용될 것으로 예상된다.

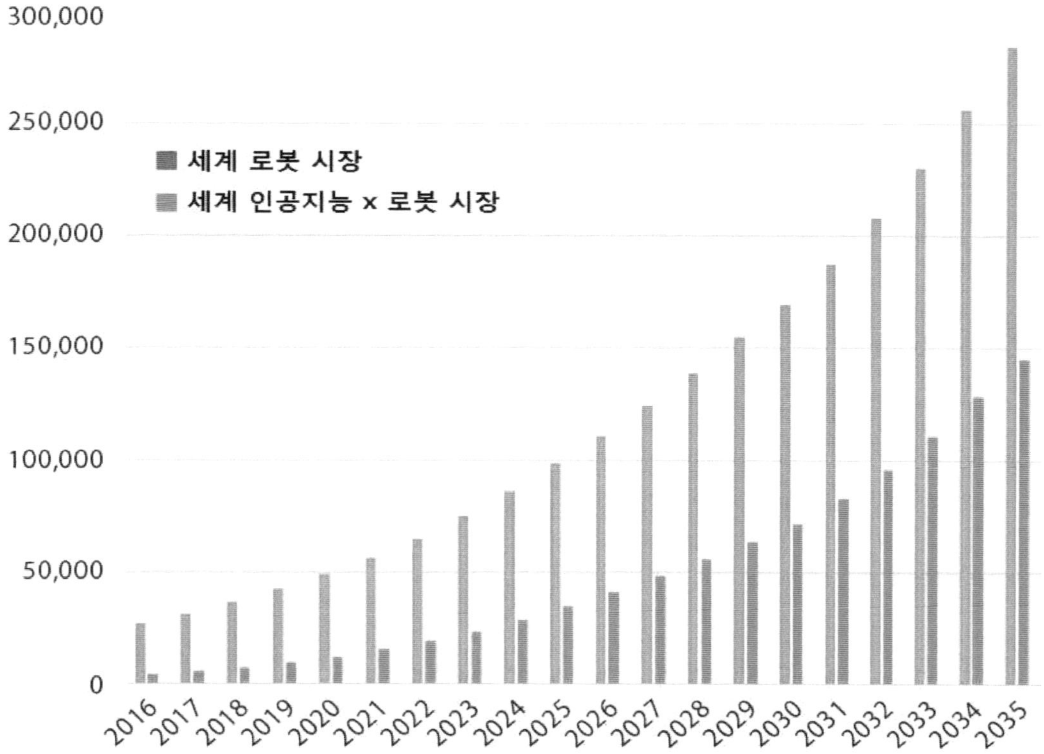

[그림 116] 세계 로봇 시장 및 세계 인공지능 로봇 시장의 매출 예측 (단위: 억 엔)
(자료 : International Federation of Robotics2016(IFR, 2016) 및
World Robotics 2016 Service Robots을 기반으로 NEDO기술전략연구센터가 작성(2018))

글로벌 IT 리서치기업 가트너(Gartner)는 인공지능이 비즈니스 전략과 인력 고용에 미치는 영향을 고려할 때, 2022년에 이르러서는 인공지능을 탑재한 스마트머신과 로봇이 의료, 법률, IT분야 고학력 전문직 업무를 대체할 것이라 예상했다.

가트너는 2017년 7월에 발표한 'Hype Cycle for Emerging Technology 2017'에서 지능형 로봇 기술이 2016년 기술촉발(Innovation Trigger) 단계에서 한 단계 더 진화해 기대의 정점(Peak of Inflated Expectation) 단계에 진입했다고 분석했다.

43) 美, 일상으로 다가온 지능형 로봇, 한혜연, KOTRA, 2017.08.07

가트너는 2016년 이후 세계 IT시장의 미래는 스마트 머신이 주도하는 세계라는 흐름으로, 인공지능과 로봇 기술이 가장 기대되고 주목받는 기술이라 평가했다.

향후 인공지능 기술 및 각종 센서 기술 등의 발전을 통해 로봇의 활용 분야가 확대될 것으로 예상되며, 외부환경을 인식해 스스로 행동하는 지능형 로봇은 기존의 제조업 분야뿐 아니라 주문, 공항 서비스 등 다양한 업무에서 활용될 것으로 기대된다.

특히 음성인식 비서 기술을 보유하고 있는 애플, 구글, 아마존 등 글로벌 업체들이 2018년에 소셜 로봇을 출시하였다.

09. 추진 과제

9. 추진 과제[44)]

가. 3대 제조업 중심 제조로봇 확대 보급

① 업종별·공정별로 108개 로봇 활용모델 선행 개발

□ **(활용분야 선별)** 업종별(25개), 공정별(6개)로 최대 가능한 150개 공정 중 실제 로봇활용이 가능한 공정 108개를 선별

- 이.적재, 시험.검사 등 2개 공정은 25개 全업종에서 활용이 가능하고 탈착, 용접, 조립분해, 가공 등 4개 공정은 일부 업종에만 적용가능

* 한국표준산업분류 제조업 중분류(25개) × 로봇산업특수분류 제조로봇(6개) = 150개 공정

□ **(표준모델 개발)** 2023년까지 108개 공정에 대해 로봇활용 표준모델을 개발하되, 근로환경 개선 및 인력부족 해소가 시급한 분야 우선 개발

- 2019년부터 뿌리, 섬유, 식.음료 등 3大 업종 표준모델 우선 개발(총 63종)
- 로봇 보급률이 높은 자동차, 전기.전자 분야 17개 공정에 대해서는 2022년 이후 표준 모델 개발 착수

* ('19) 8개 → ('20) 25개 → ('21) 25개 → ('22) 25개 → ('23) 25개 (총 108억원)

② 표준모델당 10개 기업 컨설팅(총 1,080社) 및 선도보급(7,560대)

□ **(컨설팅)** 업종별 협·단체, 로봇SI* 기업 등이 협업(MOU, '19.上)하여 1,080社에 표준모델 기반으로 공정진단, 로봇활용방안 컨설팅 제공

* 로봇SI: 로봇 도입 희망 기업에 컨설팅 및 로봇 설치·운영을 도와주는 전문업체
* ('19) 40社 → ('20) 165社 → ('21) 250社 → ('22) 310社 → ('23) 315社

□ **(선도보급)** 로봇 활용이 시급한 뿌리, 섬유, 식.음료 등 업종부터 필요 공정에 적합한 제조 로봇을 선도 보급(1社당 평균 7대)

- (뿌리) 열악한 작업환경, 인력부족 등을 겪는 스마트선도 시범산단 (창원, 시화 반월 등)을 대상으로 "취약공정 지원型 모델" 지원
- (섬유) 동대문프로젝트*에 협동로봇을 활용하여 봉제, 의류, 재단 등 "작업환경 개선型 모델" 지원

* 동대문프로젝트: KT와 APM(의류도매 기업)이 동대문 의류산업에 첨단 신기술인 5G망 기반 협동로봇 투입을 통해 해당 상권 진흥 추진('19. 3, MOU 체결)

- (식·음료) 식품자동화 관련 협·단체와 함께 HACCP 인증 등 식품위생 규정을 고려한 "청결제조공정型 모델" 지원

---

44) 로봇산업 발전방안, 산업통상자원부, 2019.03

구 분		로 봇[1] / 업 종[2]	1 이적재 (팔레타이징, 핸들링, 웨이퍼 반송, FPD반송 등)	2 공작물 탈착 (금속가공 부품 로딩/언로딩 사출품 취출)	3 용접 (아크용접, 스폿용접, 선박용접 등)	4 조립/분해 (부품조립/분해 접착/씰링재 도포,마킹/ 라벨링 SMD마운터)	5 가공 /표면처리 (연마, 디버링, 절단 도장 등)	6 시험/검사 (성능평가, 수명시험, 치수/외관검사)
1	뿌리 산업	화학제품	O					O
		고무 및 플라스틱	O			O	O	O
		1차금속 제조업	O				O	O
		금속 가공제품	O	O	O	O	O	O
		전자부품, 컴퓨터 등	O	O		O	O	O
		전기장비 제조업	O	O	O	O	O	O
		기타기계 및 장비	O	O	O	O	O	O
		자동차 및 트레일러	O	O	O	O	O	O
		기타 운송장비	O	O	O	O	O	O
2	섬유 산업	섬유제품 제조업	O			O		O
		의복/모피제품	O			O	O	O
		가죽/가방/신발	O	O	O	O	O	O
3	식음료 산업	식료품 제조업	O			O		O
		음료 제조업	O			O		O
4	제지 산업	목재/나무제품	O	O		O	O	O
		펄프/종이	O			O	O	O
		인쇄/기록매체	O					O
		코크스/석유정제품	O					O
5	조립 산업	가구 제조	O	O	O	O	O	O
		기타 제품 제조	O	O	O	O	O	O
6	기타	담배 제조업	O			O		O
		의약품	O					O
		의료, 정밀, 광학	O	O	O	O	O	O
		비금속 광물제품	O			O		O
		산업용기계	O	O	O	O	O	O
합 계		25개 업종 108개 공정	25	12	10	20	16	25

[그림 118] 업종별.공정별 표준모델

구 분	개선 前		개선 後
1 **뿌리 산업** : 기어 디버링공정 로봇자동화	 8~12명 주야 교대근무	⇨	 생산성 15% 향상, 주야 각 1명
2 **섬유 산업** : 봉제 재단 로봇자동화	 숙련된 인력 구인난	⇨	 균일 품질, 작업 환경 개선
3 **식·음료 산업** : 쿠키 고속 포장 로봇자동화	 고온환경 방진복장 근무	⇨	 불량률 감소, 작업강도 저감

[그림 119] 제조로봇 활용모델 적용 예시

③ 제조로봇 도입 지원 기업 중심의 재직자 로봇 활용 교육

□ **(재직자 교육훈련)** 제조로봇 수요 급증에 따른 각 기업들의 활용인력(Operator) 해소를 위해 재직자대상 집체교육을 지원

* 노동부 재직자 지원프로그램을 활용 : 年 5억원

- 2019년 상반기 중 1주 ~ 1개월 단위 제조로봇 기본교육 커리큘럼 및 실습교재를 마련하고 '19년 하반기부터 재직자 교육훈련 본격 실시

* ('19) 60명 → ('20) 400명 → ('21) 500명 → ('22) 600명 → ('23) 600명

1주차 교육		2주차 교육		3주차 교육		4주차 교육
로봇 활용 - 공정별 운영 실습	←	**로봇 실무** - 산업용 로봇, 협동로봇 실습	←	**로봇 기본** - 설계, 제어	←	**공통 소양**

[그림 120] 기간별 재직자 교육훈련 프로그램 구성

□ **(교육훈련 DB 운영)** 업종별.공정별 표준모델, 교육훈련 커리큘럼 자료 등의 DB를 구축하고 인터넷/모바일 통해 서비스 제공

④ 렌탈/리스 서비스 등 구매 지원을 통해 민간 자율 확산 유도

□ 로봇 제조社가 주도적으로 로봇을 판매.보급할 수 있도록 렌탈, 리스 등 금융기관과 협력체계를 구축

- 2019년 캐피탈, 은행 등과 함께 관련 상품개발後 '20년부터 렌탈, 리스 서비스 등을 제공

* (例) 신한銀 - 두산로보틱스('18.10월) → A銀 - 한화정밀기계, 뉴로메카 등 확대('19.10월)

나. 4대 서비스 로봇분야 집중 육성

① 4대 서비스 로봇분야 집중 육성

□ 전체 14대 서비스 로봇 분야 중 글로벌 시장규모, 비즈니스 잠재역량, 도전가치 등을 고려해 4대 전략 분야를 선정

- "비즈니스 창출형 서비스 로봇시스템 개발사업"('20~'26, 4026억원, 예타중) 기획시 돌봄, 웨어러블, 의료, 물류 등 4대 분야 도출

* Tractica, 국제로봇연맹(IFR) 등도 14대 서비스 로봇 분야 중 '25년도까지 가장 크게 성장할 분야로 4대 분야를 동일하게 전망('18)

구분		세부 분야	선정 사유
공공주도 (정부 50%, 지자체 50%)	돌봄	보급형 식사보조 로봇 양팔형 이승보조 로봇 배변케어(비데) 로봇	우리 실생활과 가장 밀접 글로벌 판매수량 최대 국내 산업계 역량 高
	웨어러블	근로 지원 로봇 노약자, 장애인 보조 로봇	장기적으로 가장 유망 현재 가장 미개척 분야
민간주도 (정부 50%, 민간 50%)	의료	AI기반 스마트 수술 로봇 수술 로봇 팔	기술장벽이 높은 분야 고위험, 고수익 분야
	물류	스마트 물류 핸들링 로봇 실내외 배송용 다중 로봇	가장 성장률이 높은 분야 물류센터, 병원 등 활용 유망 국내 산업계 역량 높은 분야

[표 27] 4대 서비스 로봇 분야 선정사유

□ 드론봇, 농업·탐사로봇 등 니치 마켓형 10대 분야는 국방부, 농림부 등 소관부처 주도로 기술개발·보급 지원(산업부와 관련부처간 협업)

② 4대 분야 로봇 개발 → 사회적 약자 등 보급.실증 → 민간 확산

□ **(돌봄 로봇)** 중증 장애인 등 사회적 약자를 위해 돌봄 로봇 R&D 및 보급을 지원

- (개발) 다양한 형태의 돌봄 로봇 중 수요는 많으나, 가격이 높고 기술수준이 낮은 분야를 중심으로 R&D 추진('19~'23)
- (보급) 장애인, 노인 등 사회적 약자에게 손재활, 치매예방 직접 체험을 통해 구매욕구 유발 및 로봇제품 효과성 검증('19~'23년)

□ **(웨어러블 로봇)** 현장 근로자 및 노인, 여성, 장애인 등의 사회적 약자의 근력증강을 보조하는 웨어러블 로봇을 집중 개발 및 보급

- (개발) 센서, 구동모듈 등의 핵심부품을 중심으로 완제품 개발지원
- (보급) 개발제품이 출시되는 '21년부터 보급을 추진해 고위험, 고강도 등의 직무 수행이 가능성을 검증하고 보완사항 피드백 지원

- 뿌리산업, 건설 등의 현장 근로자와 장애인, 고령자 중심 보급 사업을 추진하여 개발제품 보완과 상용화를 지원

□ **(의료로봇)** 수요처인 병원 등이 개발부터 보급까지 참여하는 수요 연계형 기술개발과 안전성 등을 확보를 위한 실증형 보급사업 추진

- (개발) 임상분야에 따라 산발적으로 개발하던 방식을 탈피하여 영상처리, 로봇팔 등 공통 기술 중심으로 개발 추진
- (보급) 병원 등과 협력해 신속한 시장진입을 위해 로봇기업들의 임상데이터 등을 확보하고 의료법의 제도 개선사항 등을 발굴

- (수술로봇) 임상시험 설계·분석, 임상데이터 확보 등을 지원하여 신의료기술평가 등 인허가 기간단축을 지원
- (재활로봇) 사회적 약자에게 체험 등을 통해 효용성을 검증

□ **(물류 로봇)** 핵심기술 개발.보급을 통해 근로환경 개선과 생산성 향상 달성하되, 보급 사업을 통해 제품의 안정성, 적합성 검증

- (개발) 복합작업이 가능한 "스마트 물류 핸들링 로봇", 물품의 자율이적재.주행. 이동이 가능한 "실내외 배송용 로봇" 등 개발
- (보급) 공장, 물류센터, 유통매장 등을 중심으로 보급하여 현장 활용도, 안전성 등을 검증하고, 제도 개선사항 등을 발굴('19 ~ '23년)
- (실내) '19년 하반기부터 우정사업본부 우편집중국에 보급해 효용성을 검증하고 마트, 호텔 등 민간 시장에서 검증(~ '21)

* '22년부터는 민간 주도로 유통센터, 스마트팩토리 등을 중심으로 보급

- (실외) 부산, 세종 등 스마트시티를 대상으로 실외 배송로봇 실증사업을 통해 도로교통법 상의 안전성 검증(~ '23)

③ **규제개선, 패키지형 해외진출 등을 지원해 국내외 시장 창출**

□ **(규제개선)** “규제 샌드박스” 全주기 완성도 제고를 위해 로봇산업 진흥원에 “규제해소 센터”를 구축(‘19.4월)해 상시 지원

* 先규제 파악 → 신속해결, 애로상담(컨설팅) → 규제·표준 이슈 검토 → 신속해결

- **(실증특례)** 돌봄·웨어러블·의료·물류 로봇 등의 4대 분야에 대해 로봇실증특례지역

* 지정 추진(‘19~, 1개 제품당 5천만원 지자체에 지원)
* 특례지역 혜택 : 先 지자체의 임시허용 조례 개정(선정 요구사항) → 신속 실증

- (제품 서비스 시험·검증) → 타당성 입증시 필요시 해당부처의 신속 법령 정비
- (맞춤지원) 실증특례를 받은 로봇기업이 사용자 보호를 위해 가입해야 하는 책임보험, 표준·인증 개발 등을 지원 (1개 제품당 1.2억원 기업에 지원)

□ **(국가별 맞춤형 수출)** 新남방국가·중동 등 국가별 산업특성을 고려하여 맞춤형 수출지원('19~, 수요국 매칭)

- 말레이시아의 완성차 업체 생산력 제고, 태국의 물류산업 육성, 사우디의 고부가가치 병원 육성 등과 연계해 수출을 지원

□ **(로봇기업 금융지원)** 로봇진흥원 예산을 활용해 “로봇사업화 전담 은행”을 지정('20)해 시중대비 1.5%P 금리, 사업화 컨설팅 등을 제공

다. 로봇산업 생태계 기초체력 강화

① 후방산업 경쟁력 강화를 위한 차세대 핵심부품·SW 선정

□ 로봇의 중요성, 원가비중, 기술 역량, 旣 지원정도 등을 바탕으로 후방산업 경쟁력 강화를 위한 전략 품목 선정

- **(기술개발·성능평가)** HW부품 총 13개 중 차세대 3대 핵심부품과 SW부품 총 7개 중 4대 SW핵심부품기술의 자립화를 지원
- **(실증보급)** 旣 지원정도가 높은 감속기, 모터, 모션제어기 등은 실증 및 보급을 중심으로 지원

② 차세대 3대 핵심부품 및 4대 SW 자립화

□ 로봇제조사, 부품업체 등이 함께 참여하는 수요연계형 기술개발 ('20~'23, 약 500억원, 예타 중)을 통해 차세대 로봇 3대 핵심부품 자립화

- **(지능형 제어기)** 비전문가도 손쉽게 활용할 수 있는 제어기를 개발하여 제조현장에서 로봇의 활용성 제고
- **(자율주행 센서)** 로봇의 실내외 자율주행을 위한 저가형 센서 모듈을 개발하여 공장內 물류의 효율성 개선
- **(스마트 그리퍼)** 다양한 물품을 고속으로 인식하고 안정적인 잡기가 가능토록 그리퍼를 개발하여 생산성 제고

□ 서비스 경쟁력을 좌우하는 4대 SW 기술자립 추진('20~'23, 약 500억원, 예타중)

- **(로봇SW 플랫폼)** 로봇과 주변기기의 연결 및 안정적 동작 지원
- **(잡는기술 SW)** 사람 수준의 판단속도로 잡기(그리핑) 조작 지원
- **(영상정보 처리SW)** AI기반 정밀의료 영상 등 실시간 획득·처리·가시화
- **(인간-로봇 상호작용)** 사용자 의도감정 이해 및 상황에 맞게 반응

□ **(성능평가)** 旣 구축인프라를 활용하여 권역별 차세대 부품, SW의 성능평가 및 인증지원 체계 고도화('20~'24, 210억원)

- (수도권) 로봇융합부품지원센터 에서 차세대 3대 부품의 고도화·신뢰성 제고를 위한 성능평가 방법개발 및 시험·인증 지원(100억원)
- (남부권) 로봇산업진흥원에서 차세대 4대 SW의 신뢰성 평가·인증 및 사업화 촉진(베타테스트 플랫폼개발, 컨설팅, 특허지원) 지원(100억원)
- (전국권) 지원기관과 수요기업을 매칭해주는 “Robo-Tube 구축”을 통해 로봇 지원기관의 공동 장비활용 촉진

③ 국산부품 실증·보급 촉진

□ (실증보급) 수요기업, 로봇제조사, 부품기업이 참여하는 로봇부품 실증사업 을 추진하고 정부 보급사업 시 국산부품 우선 채택

- (실증) 원가비중이 높고, 국산화율이 저조한 부품중심으로 추진
- (제품실증) 국산부품을 로봇제품에 탑재해 부품의 성능평가 및 개선 지원
- (현장실증) 제품신뢰성을 확보한 부품에 대해 로봇 수요기업과 연계하여 최종 산업현장에서 실증 추진
- (보급) 해외 부품과 성능 차이는 없으나, 실적이 부족하여 사용률이 낮은 국산부품은 정부 보급사업과 연계해 우선 사용

④ 他산업에 로봇 융합기술을 확산해 新시장 창출

□ (기계) 공작기계에 로봇기술을 적용하는「기계의 로봇화 project」추진

□ (IT) AI, 5G 등 IT 신기술과 융합하는 로봇제품의 개발을 지원

- (첨단로봇) 산업부(로봇)-과기부(AI,5G) 협업 R&D사업을 통해 차세대 첨단 로봇 개발 추진('19～'22, 총 470억원)
- (가구조립로봇) 스스로 조립설명서를 이해한후 조립작업 수행('19～'20)
- (자율배송로봇) GPS 부재시에도 旣학습된 경험을 토대로 주행('19～'22)
- (융합로봇) 가상·실제 환경에서 융합로봇제품 시험 인프라 구축·운영

- 센서, 제어기 등의 AI, 5G 기반 로봇부품 디지털 트윈(Digital Twin) 시험환경 제공
- 전자부품 등 實조립공정을 구축, 스마트 협동로봇 실증시험 지원

* 작업장 안전인증, 자율주행미션성공 검증, 위치정확도 및 안전.성능 검증 등

□ (他산업) 로봇 기업과 자율주행차, 드론 등의 로봇유관 他업종과 융합 얼라이언스를 구축·운영('19.5월~, 분기별)하여 로봇생태계 강화

10. 참고문헌

10. 참고문헌

[1] 제조용 로봇 기술 및 시장 동향, S&T Market Report, 2017.03
[2] 스마트미디어 부문 협동로봇 도입과 기술 동향, 최재현, IITP, 2019.07.03
[3] 제조와 전문서비스의 경계를 허무는 물류로봇, 황정훈, 전자부품연구원, 2018.06
[4] 물류로봇 기술동향 및 향후전망, KEIT PD Issue Report, 2017.07
[5] 농업용 로봇 시장, 연구개발특구진흥재단, 2018.2
[6] 농업로봇 기술동향과 산업전망, KEIT PD Issue Report, 2015.02
[7] 로봇이 가져올 미국 농업의 변화, 임소현, KOTRA, 2019.05.15
[8] [유망]일본 스마트 농업 시장동향, 임지훈, KOTRA, 2018.01.12
[9] 의료서비스 로봇, 유형정, 도지훈, 한국과학기술기획평가원, 2019

초판 1쇄 인쇄 2019년 11월 07일
초판 1쇄 발행 2019년 11월 14일
개정판 1쇄 발행 2021년 8월 16일

편저 비피기술거래 비피제이기술거래
펴낸곳 비티타임즈
발행자번호 959406
주소 전북 전주시 서신동 780-2 3층
대표전화 063 277 3557
팩스 063 277 3558
이메일 bpj3558@naver.com
ISBN 979-11-6345-301-7 (13550)

이 도서의 국립중앙도서관 출판예정도서목록(CIP)은 서지정보유통지원시스템홈페이지(http://seoji.nl.go.kr)와 국가자료공동목록시스템 (http://www.nl.go.kr/kolisnet)에서 이용하실 수 있습니다.